KUNG-FU GRANDA

Gigant Mamut: tom 9
© Disney 2011. © for the Polish edition by Egmont Polska Sp. z o.o.,
Warszawa 2011 Wydawnictwo: Egmont Polska Sp. z o.o, ul. Dzielna 60,
01-029 Warszawa, tel. (0-22) 838-41-00, www.egmont.pl
Redaktor prowadzący: Artur Skura
Tłumaczenie: Aleksandra Bałucka-Grimaldi, Joanna Janiszewska-Rain
DTP: Renata Ulanowska; Korekta: Iwona Krakowiak, Joanna Romaniuk
Druk: GGP Media; Produkcja: Cezary Wolski
Sprzedaż reklam: katarzyna.puchalska@egmont.pl, beata.michalak@egmont.pl.

Spis treści

Str. 5 **Kaczor Donald**
Dmuchawce, latawce, wiatr

Str. 53 **Myszka Miki**
Miasto z lodu

Str. 107 **Kaczor Donald**
W Kraju Wschodzącego
Słońca

Str. 143 **Wujek Sknerus**
Znak zapowiadający

Str. 178 **Myszka Miki**
Przyczajony Miki,
ukryty Goofy

Str. 213 **Superkwęk**
Hinduska świątynia

Str. 253 **Wujek Sknerus**
Chiński żart

Str. 269 **Bracia Be**
Fakirzy za dychę

Str. 295 **Myszka Miki**
Chińska dama

Str. 330 **Wujek Sknerus**
Udręki Kaczora w Chinach

Str. 366 **Myszka Miki**
Oczy złego boga

Str. 396 **Wujek Sknerus**
Poranna herbata

Str. 426 **Kaczor Donald**
Dwa tygrysy

Str. 473 **Wujek Sknerus**
Procent in loco

UROKI AZJI

Kung-fu, smoki, latające sztylety
i przyczajone tygrysy!
Wszystko to znajdziecie
w tajemniczych krainach
dalekiej Azji.

Myśleliście, że Donald
zrobił już wszystko? Ha!
Ten pomysłowy kaczor
nie przestaje nas zaskakiwać!
Tym razem postanowił
polecieć latawcem... dokąd?

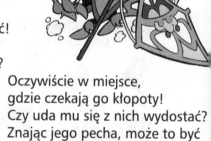

Oczywiście w miejsce,
gdzie czekają go kłopoty!
Czy uda mu się z nich wydostać?
Znając jego pecha, może to być
trudne...

Miki i Goofy mają jeszcze
dziwniejsze przygody. Walka,
namiętność, a nawet wojna
między dwoma państwami
– wszystko to przed nimi.
Chcesz się dowiedzieć, jakie
magiczne moce posiądzie
Goofy i kto wyzwie Donalda
na pojedynek? Nie czekaj!
Zabieraj się do czytania!

Walt Disney
KACZOR DONALD

Dmuchawce, latawce, wiatr

6

7

Oj! Na szczęście wujek trafił na gałąź.

KLING!

TING!

AAAAAAA!

ŁAAAAAAAAAAA!

ŁAAAOOAAAOAAA!

Szybko! Złapmy linę, zanim wujaszka wywieje!

Oj, już za późno...

TRZASK!

9

Hej, chuliganie! Zapłacisz mi za to!

ŁOOOAAAA!

AAAAAA!

BRZDĘK!

SZSZSZSZSZSZ

UFFF!

Gdzie ja jestem?

Co to za hałas?

E, to chyba wiatr...

Na mnie już pora...

Zostań jeszcze. Mamy tak mało czasu, a ja muszę poślubić tego okropnego człowieka!

Nie martw się, kochanie! Znajdziemy sposób, by cię wyrwać z jego szponów!

Mam nadzieję...

Do zobaczenia, kochanie!

Do zobaczenia, mój miły!

19

Chyba smutnym wojownikiem, jak go znajdę! Każę go upiec w buraczkach!

Straże przeszukają pokoje. A ja zostanę tu z waszą ślicznością.

Jej, dziewczyna mówiła prawdę. Facet nie brzmi przyjaźnie...

...EEEEE...

TRZASK!

Nie dotykaj mnie!

Co za temperament! Ale już niedługo, moje złotko...

Co u licha?!

...EEEEE...

No ładnie! Co my tu mamy? Straż, znalazłem nieproszonego gościa!

Mmmmmmm!

22

A jednak! Jako Smoczy Mistrz twierdzę, że ten kaczor musi stanąć przed sądem!

Wciąż te same sztuczki, co?

Nie pomogą one ani tobie, ani twojemu młodemu siostrzeńcowi!

Moi szpiedzy donieśli mi, że chcesz przeszkodzić mi w małżeństwie z księżniczką! Ale to na nic!

Tylko dotknij kaczora, a nigdy nie ożenisz się z księżniczką. Tak jest napisane!

Napisane? Gdzie?

Tutaj, w dokumentach urzędowych.

Dawaj, pokaż je!

Ty oszuście! To przepis na dżem!

Dżem dobry!

Nie masz argumentów! Już po kaczce!

Stój! Mam...

Żegnaj, kaczorze!

Gulp!

Stój! Mam...

...edykt od cesarza! Żąda, by dostarczono mu kaczora o świcie!

Co?!

O, księżniczce się udało!

Ufff! Rychło w czas. Ale mam szczęście!

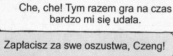

Che, che! Tym razem gra na czas bardzo mi się udała.

Zapłacisz za swe oszustwa, Czeng!

Nie ciesz się tak! Zgodnie z prawem wszyscy nieproszeni są usuwani! I tyle!

Dziękuję, panie Czeng! Donald jest ci wdzięczny.

Podziękuj lepiej księżniczce. Ale nie mamy czasu do stracenia!

Wkrótce w domu Czenga...

Muszę cię ostrzec, Donaldzie! Nic nie powstrzyma Zianga! I choć mojego brata cesarza można zastraszyć....

24

...to jednak zawsze przestrzega prawa. W tym nasza nadzieja. Chyba mam pewien pomysł...

A zatem o świcie...

Ależ panie! Stare prawo mówi, że nasze zawody latawcowe są otwarte dla wszystkich!

To prawda! Ale prawo mówi też, że los kaczora leży w rękach Mistrza Latawców, czyli Zianga!

Tak, panie. Ale kaczor wygrał zawody, więc automatycznie uzyskał tytuł Latawcowego Wojownika!

Być może. Ale Latawcowi Wojownicy również podlegają Ziangowi. Może z nimi zrobić, co chce.

Nic nie kumam. Co oni kombinują?

O ile oczywiście nowy Latawcowy Wojownik...

...nie wyzwie Zianga na pojedynek! A jeżeli wygra, zostanie Latawcowym Mistrzem i sam zdecyduje o swym losie.

Wyzwać Zianga? To niesłychane!

Nikt jeszcze nie śmiał!

Pojedynek? Coś mi się tu nie podoba...

Panie, protestuję! To obraza mojego urzędu!

Hmm...

Być może. Ale takie jest prawo i tak ma być! Zawody odbędą się o zachodzie słońca.

Jak z tobą skończę, uznasz sępy za miłe towarzystwo!

Już uznaję!

Chodź! Mamy mało czasu, by przygotować cię na pojedynek.

A może od razu wykopię sobie dziurę? Będzie prościej.

Zapomnij! Nie mogę walczyć, nie jestem gladiatorem!

Nie masz wyboru. Albo pokonasz Zianga, albo zginiesz.

No skoro tak... To może raz...

No to załatwione. Bo jutro księżniczka musi poślubić Zianga, który zostanie księciem!

Następnie, zgodnie z tradycją, cesarz odejdzie na emeryturę, a nowy książę obejmie tron.

A to byłaby katastrofa! Ziang to tyran, zniszczy nasz kraj!

Tak, rozumiem.

Ty byłbyś znacznie lepszy!

Co? Ja? Cesarzem? Mam już pracę w fabryce margaryny! Nie złożyłem wypowiedzenia...

Takie twe przeznaczenie. Cokolwiek się stanie, nie opuścisz tych murów. Jesteś w pułapce tak jak my.

W pułapce? Jak to?

28

„Wejścia do miasta pilnował młody smok skuty łańcuchem przez Smoczego Mistrza, mojego przodka".

Wszystko szło dobrze. Aż pewnego dnia, bez żadnego ostrzeżenia, smok stał się bardzo agresywny!

„Było coraz gorzej! W końcu nawet Smoczy Mistrz nie mógł się do niego zbliżyć"!

AAAAAA!

ŁUSZSZSZSZ!

Po Smoczych Mistrzach pozostała tylko nazwa... Jesteśmy teraz mistrzami stajennymi, zajmujemy się końmi...

Wejście do miasta jest zablokowane, a my jesteśmy więźniami. Dlatego Latawcowi Mistrzowie są tak ważni!

„Prowadzimy handel ze światem zewnętrznym tylko za pomocą wielkich latawców".

30

I choć minęło tyle wieków, nikt nie wie, dlaczego smok się zmienił.

Uch, a to pech.

Ale możesz mnie odesłać do domu na jednym z tych wielkich latawców, prawda?

To niemożliwe! Nasze królestwo otaczają wrogie plemiona.

Sprzedają nam swoje towary, za które płacimy dużo złota. Bez zbrojnej eskorty nie miałbyś z nimi szans.

No, ale dość gadania. Chodź, musimy nauczyć cię, jak pokonać Zianga.

Wspaniale! Czy dostanę śmieszną czapeczkę?

Poznaj Tanga – najlepszego Latawcowego Wojownika w królestwie.

Ze względu na chłopskie pochodzenie nie może wziąć udziału w zawodach.

Do usług.

A kiedy zaczął opadać kurz...

Co się dzieje? Kto wygrał?

Nie widzę!

Czekaj! Kurz opada...

Och!

Aj!

O-o-on wygrał!

Jesteśmy uratowani!

OCH!

Oj! Co mnie uderzyło?

Chodź, zwycięzco! Prze-bierzemy cię, dwór czeka!

HURRRRAAAA!

KLASK! KLASK! KLASK!

Brawo!

To naprawdę wspaniałe zwycięstwo!

Aleśmy ich nabrali!

Na szczęście mieliśmy drugą identyczną zbroję. Tang mógł zrobić wszystko za ciebie!

To musi pozostać naszą tajemnicą. Jeśli Ziang się dowie, obaj zginiemy.

Buzia w ciup! Przeplute, przetarte! Czarne przebija czerwone!

I tak...

Jutro urodziny mojej córki. Poślubisz ją, Donaldzie Zwycięski, nowy Mistrzu Latawców!

Dzięki, ale mam pracę, a moi siostrzeńcy i... e... dziewczyna mieliby z tym problem!

Co? Odmawiasz poślubienia mojej córki? Sprzeciw oznacza śmierć!

35

O mamo! Może ślub nie byłby taki zły...

Za późno, kaczko w buraczkach! Obraziłeś króla i zginieszl Che, che!

Skazuję go na śmierć! Natychmiast!

Panie! Zgodnie z prawem może sam wybrać rodzaj śmierci.

Dobre! A więc co to będzie? Ogień? Strzały? Wrzący olej?

Yyy... może się namyślę i prześlę odpowiedź pocztą?

Panie! Kaczorowi chodzi o śmierć z pazurów jaskiniowego smoka!

No proszę, jaki piękny pomysł...

Od stu lat nikt nie przeżył spotkania ze smokiem!

UPS!

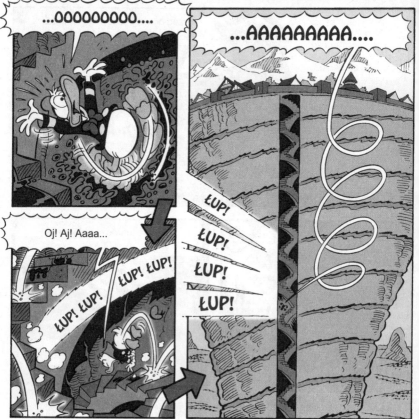

Hej! To mój latawiec!

Gdybym go tylko mógł odwiązać...

GRRRR!

Oj!

Ojć!

ŁUSZSZSZ!

ŁUP!

AAAAAA!

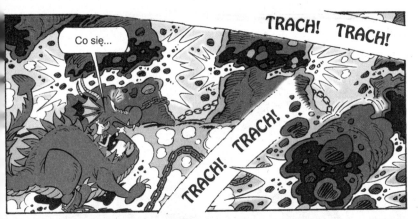

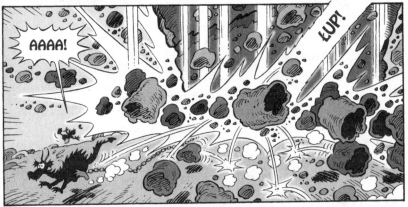

43

44

45

Chyba wiem, co co chodzi.

Wiesz?!

Kajdany zardzewiały i zaczęły wpijać mu się w skórę jak sztylety...

I dlatego wcześniej był taki zły, a teraz jest potulny jak baranek!

A może też chodzi o to, że pewien kaczor uratował mu życie?

LIZ!

Tak, Donaldzie! Nasze miasto zostało ocalone, a smok poskromiony. Jesteś bohaterem!

Serio? Jak w filmie?

Hip, hip, hura!

Nawet ja muszę przyznać, że nas uratował...

W nagrodę za twoje bohaterstwo, Donaldzie, spełnimy każde twoje życzenie!

Dzięki, panie! Na początek chciałbym, żeby księżniczka...

...poślubiła Tanga, swoją prawdziwą miłość. To on jest prawdziwym Mistrzem Latawców, bo to właśnie on walczył i wygrał pojedynek z Ziangiem!

Dzięki, Donaldzie!

Ja chcę tylko wrócić do domu, do Kaczogrodu. Niestety, mój latawiec jest zniszczony, więc nigdy mi się nie uda...

48

Nigdy nie mów nigdy, kaczorze! Bardzo mi zależy, żebyś wrócił do domu, więc...

...popracowałem razem z Tangiem i naprawiliśmy twój wielki latawiec!

Ziang dodał nawet specjalne przyspieszacze!

Myślisz, że to zadziała? Mam ufać takiemu oszustowi, jak Ziang?

Nie masz wyboru, kaczorku!

To twoja jedyna szansa, Donaldzie. A jeśli Ziang zacznie coś kombinować, zostanie na zawsze wygnany z królestwa.

No dobra! Raz kaczce śmierć!

Usiądź tutaj, Donaldzie.

Zaraz się uniesiesz, jak tylko odpalę rakiety.

Po długim i burzliwym locie...

...i wyczerpującej kąpieli...

Uff! Nareszcie stały ląd!

...biedny Donald zapada w głęboki sen...

ZZZZZZZZZZ...

Wujku Donaldzie, gdzie byłeś?

Tak się martwiliśmy!

Nie było cię całe wieki!

...zzzzzz... Co... jak... gdzie ja jestem?

Musisz się pospieszyć!

Jesteśmy spóźnieni!

Spóźnieni na co?

Wygrałeś konkurs latawcowy!

I wakacje dla całej rodziny!

No to na co czekamy?!

KONIEC

53

54

A po skończonym posiłku z lokalnych specjałów...

Mam już dość tego ryżu z masłem jaka!

I mnie to mówisz!

Che! Che! Przygoda czasem wymaga poświęceń!

A teraz przygotujmy się do ostatniego etapu naszej podróży...

...prawdziwego klasztoru tybetańskiego, tutaj, w Bar-Co-Simno!

Hm... mapa jest stara i niezbyt czytelna!

TYBET
KATMANDU
M. EVEREST
NEPAL

Myślę, że przyda nam się przewodnik!

Ekhm...

58

59

60

64

65

Tu jestem! Martwiliście się o mnie?

ACH!

ZIUUM

Wybaczcie, ale taki archeolog przygody jak ja nie może robić zwyczajnych rzeczy!

I musi nieustannie ćwiczyć się na wypadek najbardziej dramatycznych okoliczności!

Od piasków Sahary, zamieszkanych przez Beduinów...

...po niedostępne szczyty Tybetu uczęszczane przez yeti...

...Indiana Goofs nie boi się nikogo, z wyjątkiem oczu pięknej niewiasty!

Che! Che! Wydaje mi się, czy zrobiłaś na kimś wrażenie?

Nieco później...

Witają was pokój i spokój Bar-Co-Simno, cudzoziemcy! A przynajmniej z nich słynął nasz klasztor...

...przed przybyciem waszego sympatycznego przyjaciela...

...którego przedsięwzięcie oby was nie skusiło!

Jakie... przedsięwzięcie?

...oraz że ukrył w tym klasztorze mapę, jak je odnaleźć!

Mnich napisał dosłownie: „Ukryłem ją w siódmym stopniu na zachód od Buddy, nad mozaikami w środku historii!".

Niezła łamigłówka!

Przyszła paczka zamówiona przez cudzoziemca!

Moje anyżki!

W samą porę! Mniam! Kończył mi się zapas!

Che! Che! Indiana Goofs nie może żyć bez swoich specjalnych anyżków! Pomyślcie, każe je sobie przysyłać prosto z Amazonii!

Przyjrzyjmy się, gdzie mnich odkłada księgę, i policzmy półki, które ją dzielą od posągu!

?

KULTURA

Miki, jesteś geniuszem! Jest ich siedem!

Dokładnie tak jak w zagadce – siódmy stopień na zachód od Buddy, nad mozaikami...

HISTORIA KLASZTORU BAR-CO-SIMNO

MOZAIKI

...w środku naszej historii!

SZTUKA

Teraz pozostaje tylko poszukać w środkowym egzemplarzu!

Ja się tym zajmę!

Jednak...

Nic z tego, przejrzeliśmy wszystkie egzemplarze, a po mapie ani śladu!

Trudno! Trzeba odłożyć na miejsce i...

Hej! Chwila!

W środku ściany, gdzie stała książka z historią, widać otwór!

A w środku jest pergamin!

„Gratulacje, nieznany poszukiwaczu! Nie było łatwo znaleźć mapę! Ale skoro już ci się udało, niech twe pragnienie wiedzy zostanie zaspokojone..."!

„Ujrzałem miasto z lodu ze Szczytu Grozy, dwa dni drogi od klasztoru!".

Ujrzałem miasto z lodu ze Szczytu Grozy

„To trwało tylko chwilę, potem mgła spowiła miasto, a nadejście yeti zmusiło mnie do ucieczki!".

Oj!

Szczyt Grozy to miejsce, którego wszyscy unikają zarówno z powodu zamieci śnieżnych...

...jak i licznych spotkań ze słynnymi ludźmi śniegu!

Trudno będzie przekonać przewodników, żeby nam towarzyszyli!

Z przewodnikami czy bez odkryję miasto z lodu, słowo Indiany Goofsa!

PAC

Do zobaczenia rano, Miki! Teraz czeka mnie codzienna lekcja medytacji i jogi!

75

Co to jest? Obozowisko?

Indiana nie używa miękkiego łóżka jak wszyscy! Umie zasnąć tylko pod namiotem!

Szybko, chodźcie!

Klarabella, co ci się stało?

Hm... zawołałem ją, żeby dać jej mały upominek!

Dziś rano otwierając puszkę anyżków, znalazłem w niej bardzo rzadki okaz jaszczurki amazońskiej!

A więc ją dla niej zapakowałem, myśląc, że się ucieszy!

PAC

A tymczasem, nie wiedzieć czemu, na jej widok zemdlała!

77

78

79

To naturalne! Im bardziej zbliżamy się do strefy yeti, tym większy jest strach!

Z...

Następnego ranka...

Ziew! Ale pospałem!

Miejmy nadzieję, że Pim i Pum przygotowali już kawę... jej!

Alarm! Szerpowie nas porzucili!

Hm... wygląda na to, że nasi przewodnicy się oddalili!

Wydawali się tacy oddani! Dlaczego mieliby to zrobić?

Myślę, że te ślady yeti to dobry powód!

AAA!

Brrr! Aż ciarki przechodzą! W każdym razie Miki i Indiana Goofs na pewno dotrą do miasta z lodu! Jak? Odwróćcie kartkę... a dowiecie się!

81

82

83

86

88

89

Dachy są błękitne jak niebo!

A w dali, jeśli się nie mylę, są dziwaczni mieszkańcy, którzy wychodzą nam naprzeciw!

Witajcie w Axel-B... albo mieście z lodu, jak nazywacie je wy, Ziemianie!

Aaa! Co za potworne stworzenia!

Rety! I nazwały nas... Ziemianami!

Chcecie powiedzieć, że...

Tak, jesteśmy z innej planety! A wrażenie potworności jest obustronne, wierzcie mi!

91

93

...starali się coś wymyślić, aby trzymać się z dala ewentualnych ciekawskich!

I tak powstały futrzane roboty, które wy nazywacie yeti!

No proszę! I tak odkryliśmy tajemnicę strasznego człowieka śniegu!

Co zamierzacie z nami zrobić?

Obiecujemy, że nie puścimy pary z ust!

Bez obaw! My z Axel-B jesteśmy pokojowymi ludźmi!

Znajdziemy odpowiednie rozwiązanie!

Nie podoba mi się to „odpowiednie"!

94

Ale dzięki tym specjalnym niebieskim dachom, wyprodukowanym z blach statku kosmicznego...

...w naszych domach panuje zawsze miła, lodowa temperatura!

BRRR...

W sumie ci kosmici mają dobrze!

W jakim sensie?

Nie muszą używać lodówek!

À propos, czym się odżywiacie? W takich miejscach nic nie rośnie!

Niezupełnie!

Chodźcie zobaczyć!

Oto nasze szklarnie!

97

98

101

102

Tydzień później w klasztorze Bar-Co-Simno...

Ekscelencjo, goście wreszcie się obudzili!

Dobrze, chodźmy do nich!

Macie szczęście, bracia! Nie zawsze góra pozwala wrócić!

„Podziękujcie dobremu wzrokowi brata Tzong, który kilka dni temu dostrzegł was, jak błąkaliście się bez celu w śnieżnej zamieci...".

Szczerze mówiąc, niczego nie pamiętamy!

Właśnie, co ja tutaj robię? Mam dziurę w pamięci na co najmniej miesiąc wstecz!

My też!

Pamiętamy tylko, że byliśmy w Myszogrodzie i mieliśmy zorganizować tegoroczne wakacje!

Hm... zeszliśmy niezły kawałek!

To ty zawsze szukasz przygód!

My o tej porze leżałybyśmy w Pustce albo w Łajbie!

Ale jak to możliwe, że nic nie pamiętamy?

Nie na wszystkie pytania znajdziemy odpowiedź, przyjacielu!

Myślę, że przeżyliście jakieś niezwykłe doświadczenie! I może właśnie dlatego wasze umysły je wykasowały!

104

KONIEC

108

I zaraz wam to zademonstruję!

Widziałem wszystkie części „Karate Kid"!

Jedno kopnięcie w locie zrobi wrażenie na brzdącach!

Jej!

AJAAAJ!

KOPS

Potem...

Nie złość się! Odpocznij trochę, a potem rzuć okiem na tę książkę!

Rozjaśni ci się w dziobie!

Hm... cała encyklopedia?

„Ci, którzy pragną ćwiczyć karate..."

„...odczuwają tę samą przyjemność..."

KARATE

„...co dawni rycerze średniowiecza oraz samurajowie...".

Choć ciekawi go lektura, Donald zapada w sen...

Chr...

...i zaczyna śnić...

111

112

Nikt cię nie okłamał...

Hm... s-skoro ty tak mówisz...

Wydaje mi się, że się waha i...

Hm!

Słyszeliście? Nie ma zbiorów, nie ma podatków! Wracamy!

Co?!? Dałeś się omamić tej kaczej pannie! Ale my zaraz odbierzemy, co się należy!

Jakim sposobem?

Bardzo...

...ale to bardzo przekonującym!

115

I jakie owoce! Niezły zapas!

No i co, kto miał rację?

Gdybyśmy cię posłuchali, ładnie byśmy na tym wyszli!

Hm... fakt!

Zostawiam wam zadanie odebrania należności!

Zgoda!

117

Prawda jest taka, że gdybyśmy zapłacili podatki, których żąda szogun...

...nie mielibyśmy z czego żyć!

Czy to możliwe?

Ależ tak! Popatrz na Tokawa... Kanishi... Choć pracują cały rok...

...jak i my, zostają im puste spichlerze!

A wszystko dlatego, że pazerność szoguna nie zna granic!

Hm... tak, jest łakomy!

Ale co ja mogę na to poradzić?

Wszystko!

119

O my nieszczęśni! Jakim cudem przetrzymamy zimę?

O nie! Tego już za wiele!

Od tej pory Donacian będzie dla was walczył z niesprawiedliwością szoguna!

Ty będziesz naszym obrońcą?

Tak jak powiedziałaś! A teraz wracajcie do swoich domów i czekajcie cierpliwie!

Niech mają cię w opiece bogowie Fujiama!

Podczas gdy szogun Sknercian odpoczywa w swym ogromnym domostwie...

...mistrz rusza do akcji...

SKRZYP

SKRZYP

121

122

Nazajutrz...

123

124

125

Przez cały dzień...

Komukopa?

Bijcosił?

Nie!

Tfu!

...i przez całą noc...

Łamikość?

Jeszcze czego!

Wybijząb?

Nie!

...aż do świtu następnego dnia...

Uff! Ech! Pozostał tylko Gogucian!

Ble! Nie wart jednego palca Doniciana!

To prawda! Ale proszę nie zapominać, że zawsze ma szczęście!

Racja!

To największy szczęściarz wśród krajowych mistrzów! Sprowadźcie go!

W ten sposób...

Jeśli jesteś skłonny dobrze zapłacić, uwolnię cię od niego w mgnieniu oka!

Hm... na pewno dojdziemy do porozumienia!

Tymczasem nieświadomi zagrożenia...

Daisina...

Donacian...

Mmm...

Słuchajcie! Słuchajcie!

Znowu? Ech!

Zbliżają się poborcy?

Nie! Szogun zatrudnił wielkiego mistrza...

...który wyzywa cię na pojedynek na Moście Sokoła!

129

...któremu Donacian musi przeciwstawić całą swą zręczność...

Jej!

Bez twojego szczęścia mało jesteś wart, Gogucianie!

Patrzcie i radujcie się! Gogucian nie ma wyjścia!

Ble!

A tym zakończymy pojedynek!

Kiaiii!

Rety!

131

132

Uff! Wreszcie ten służbista nie będzie mi się plątał między płetwami!

Od jutra moi poborcy będą mogli wrócić do pracy!

Słyszeliście? Przygotujmy się do oddania owoców naszych trudów!

Biedny Donacian! Chlip!

Gogucian!

OOOCH!

Jeśli sądzisz, że mnie pokonałeś, to bardzo się mylisz!

Doni! Mój bohater!

Ale i tym razem...

...fortuna pomaga przeciwnikowi mistrza!

Tym razem to koniec!

Chlip!

Temu niewdzięcznikowi już chyba wystarczy! Wracamy!

Che! Che!

Wieczorem...

To na nic! Zdolności i odwaga nie wygrają z fortuną!

Możliwe! Ale ci, których bronisz, też mogliby ci pomóc!

Gdyby rzucili się podtrzymać linę mostu, nie spadłbyś do rzeki!

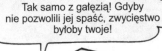

Tak samo z gałęzią! Gdyby nie pozwolili jej spaść, zwycięstwo byłoby twoje!

136

Ale... ale pokonałem go już dwa razy!

To prawda! Tylko że miał się wynieść z moich ziem...

...a tymczasem wciąż tu jest! I czeka na ciebie na Skale Sokoła!

Przy takiej pogodzie?

I tak...

Odwagi, Gogucian!

Wygraj dla mnie, Donacian!

Kiaiii!

MACH

To ja mówię kiai! Che! Che!

BEC

137

Agrrr! Nie miałem snu! Miałem znak! Znak! Z n a k! Jasne?

Aj!

Wujku Sknerusie, coś strasznie plączesz! Kwacz dokładniej!

OK! Dla większej jasności cofnę się w czasie!

I znowu stare smęty o Klondike!

Gdy już uzbierałem swój pierwszy miliard w Klondike, a drugi w Oklahomie, spróbowałem fortuny w Dakocie!

Pewnego wieczoru, gdy grzebałem w ziemi, szukając jakiegoś ziemniaka na kolację...

Do rzeczy, do rzeczy!

...poczułem nagle uporczywe swędzenie głowy!

O!

Wszy?

Powiedziałem swędzenie i tyle!

Skoro tak mówisz...

Podrapałem się, a tu nagle wyskoczył mi guz wielki jak strusie jajo!

Ekstra!

Wróciłem do grzebania w ziemi i... wiecie, co poczułem w ręce?

Dynię?

Słodkiego ziemniaka?

„Jakiego tam ziemniaka! Żadną dynię! Żadną cukinię, tylko...

Juhuuu! Grudka wielkości jabłka!

Zacząłem gorączkowo grzebać...".

Następna! Następna! I jeszcze jedna!

Ja cię! To jest guz szczęścia!

147

148

W sobotę nie ma szans! Muszę podliczyć tygodniowe zarobki! W niedzielę... hm... odpoczynek!

Postanowione – w poniedziałek wyjeżdżamy do Golkondy!

Golkondy?!

Hę?!

Golkondy? Hm!

Zaraz sprawdzę!

Na południe od Golkondy odkryto kopalnię diamentów!

No ale co to ta Golkonda?

„Dawne miasto w Indiach. Zachowały się imponujące ruiny..."

Hę? Nie wiedziałem, że czerwonoskórzy mieszkali w miastach!

To miasto z przeszłości, z którego zostały tylko ruiny!

„...słynne ze swoich kopalni diamentów...".

Jej! Czerwonoskórzy mają kopalnie diamentów? Nie wiedziałem!

Che, che! Teraz to wiemy!

W poniedziałek tam pojedziemy, zwabimy czerwonoskórych na jakieś świecidełka i...

Wujku Sknerusie! Mieszasz pojęcia!

To nie ziemia Indian! To Indie, które znajdują się w Azji!

Azji? Hm...

Czy masz na myśli ziemię tygrysów, zaklinaczy węży?

Tę samą!

Rety!

Czego się obawiasz, siostrzeńcu? Nie istnieją już wolno biegające tygrysy! Wszystkie wykupione zostały przez cyrki i zoo!

A... zaklinacze węży? Du- -dusiciele?

Skąd! Wymysły autorów powieści i komiksów!

Fiuu! Odetchnąłem!

151

Ale... ten teren pewnie należy do jakiegoś Hindusa i...

Tfu! Hindusi, podobnie jak czerwonoskórzy, to prości ludzie...

...a ja ich skuszę tym! Na pokładzie mam tego całą skrzynkę!

Zamierzasz kupić kopalnię diamentów za budziki?

No!

To oszukaństwo!

E tam! Tak właśnie krzewi się cywilizację!

Co ich lepiej obudzi?

TIK-TAK
TIK-TAK

153

155

157

Dzlcy ludzie, tak?

Łatwowierni, hm?

Co się skuszą na budzik, hę?

Phi! Wcale się tym nie martwię!

Chyba nie sądzisz, że ja zrezygnuję z przedsięwzięcia?

Hm! Masz plan?

Naturalnie! Przejdziemy przez palisadę i...

Nie widzisz, jaka jest wysoka? A poza tym u góry ma drut kolczasty!

Przerąbane!

Siostrzeńcy! Dla mnie nie ma rzeczy niemożliwych! Wystarczy ruszyć głową – skoro nie można przejść górą, przejdziemy dołem!

Wykopując tunel?

Właśnie! Postaramy się o narzędzia i dziś w nocy...

162

163

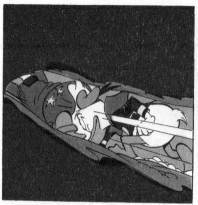

164

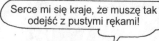

Co powiesz na cenny budzik, dokładny co do minuty?

Nie potrzebuję go! Jestem już wystarczająco wybudzony!

Wolałbym trochę tych kolorowych papierków, które wy nazywacie banknotami!

A po co ci one?

Chcę wytapetować te odrapane ściany! Lubię estetyczne otoczenie!

Hm... to się chyba da zrobić!

Przypadkiem znalazłem trochę drobnych w cylindrze! Tysiąc dolarów wystarczy?

Jakoś sobie poradzę!

Oto tysiąc!

Oto bożek! Sprawdź!

Widzę, że mnie nie oszukałeś! Brawo, jesteś uczciwy!

„Uczciwość jest dźwignią handlu", rzecze Konfucjusz!

Che, che! Uczciwy, ale głupi! Nie zauważył, że wcisnąłem mu 800 dolców zamiast tysiąca!

Osiemset! Hm... ale głupi ten stary turysta!

W życiu nie ubiłem lepszego interesu!

Pobudka! Pobudka, obiboku!

Zzz... oj! Już zmiana warty?

173

174

WALT DISNEP

MYSZKA MIKI

Przyczajony Miki, ukryty Goofy

Ale cudowne wakacje, Goofy! Odwiedziny w pałacu w Jubecie i spotkanie ze starym przyjacielem, Ladaj Damą!

Jejcia! Nie mogę się doczekać, żeby się z nim przywitać!

Scenariusz: Pat i Carol McGreal, rysunki: Joaquin

D 2001-031

Witajcie, przyjaciele! Jak cudownie znowu was zobaczyć!

Cała przyjemność po naszej stronie, Wasza Damowość! Dziękujemy za zaproszenie!

Tak, tak!

Oprowadzę was po pałacu. A wy opowiecie mi, co u was słychać.

Jasne! Ale chcielibyśmy się też dowiedzieć, co u ciebie.

Mój najbardziej zaufany asystent, brat Cza Szu, zaniesie wasze bagaże.

Mamy iście królewskie przyjęcie!

Jejcia! Ale macie tu widoczki!

Mnisi pracują na zwiększonych obrotach, żeby przygotować nam pokoje... To zbytek łaski!

Nie martwcie się, przygotowujemy pałac dla innych gości.

Tak? Dla kogo?

Czeka nas wizyta dygnitarzy, którzy mają zapewnić bezpieczeństwo Jubetowi!

To cesarz Ping Pong i jego córka Kling Kong z sąsiedniego Kijtaju.

Kijtaj i Jubet od zawsze byli wrogami. Ale ostatnio stosunki między nami znacznie się poprawiły.

To pierwsza wizyta dyplomatyczna. Nic nie może pójść źle!

Jej, szykuje się niezła uczta!

O rajuśku! Spójrz tylko na to!

Wszystko musi być na tip-top!

180

Następnego dnia...

Witamy Jego Wysokość cesarza Ping Ponga z Kijtaju! Pozdrawiamy jego córkę, księżniczkę King Kong!

...i wieczorem...

Zdrowie cesarza Ping Ponga, księżniczki King Kong i przyjaźni między Jubetem i Kijtajem!

Zdrowie!

Zdrowie naszego drogiego gospodarza, Ladaj Damy Jubetu! To dla nas wielki zaszczyt gościć tutaj!

Ojcze, proszę! Nie przesadzaj, zdrowie jest najważniejsze!

Tak, tak, King Kong. Własna córka pilnuje mnie jak kwoka...

Nie zapomnij o lekarstwie, Wasza Wysokość!

No i druga kwoka! Czuję się jak kurczaczek!

Tak samo czuję się przy Cza Szu, moim wiernym pomocniku, który służył też mojemu poprzednikowi.

Posiłek – wspaniały, a towarzystwo – wyborne! Teraz, kiedy mamy pokój, możemy powtarzać to częściej!

Z największą przyjemnością, Wasza Wysokość!

O rajuśku, to było przepyszne! Te kraje nigdy nie powinny ze sobą walczyć, tylko organizować przyjęcia.

Twoje usta mówią szczerą prawdę!

Jednak w samym środku nocy...

AAAAAJ!

Co to było?

Co tam, Miki? Smacznie spałem...

Nie wiem, Goofy! Ale zaraz się dowiem!

Hę? Co się dzieje? Co to za krzyk?

Stój, kolego! Zostaw księżniczkę!

POMOOOOOCY!

Nie uda ci się uciec!

Na poooomooooc!

185

Wkrótce potem...

...i nic nie mogłem zrobić, porywacz uciekł.

Z moją córką! Moją słodką, kochaną, milutką King Kong! Co ja teraz zrobię?!

Gdyby jej się cokolwiek stało... Ja... ja... Kręci mi się w głowie...

Szybko, proszę zażyć lekarstwo.

A więc porywacz unosił się nad dachami? Drań musi być z klasztoru Paulin.

To jedyne miejsce, gdzie naucza się mistycznych sztuk walki.

I tam rozpoczniemy poszukiwania księżniczki!

Ktoś musi pójść do klasztoru i powęszyć... A ja i Goofy najlepiej nadajemy się do takiej roboty!

Nadajemy?... Aha... Chciałem powiedzieć – tak, jak najbardziej!

187

Nasi bohaterowie wyruszają w długą męczącą podróż po jubetańskich górach wprost do klasztoru Pauolin...

Jejcia, Miki! Czemu tak szybko przyjąłeś tę bezsensowną misję?

Poczułem, że muszę złapać tego drania! Powinien za to zapłacić!

To rozumiem, ale czemu mnie w to wplątałeś?

No co ty, Goofy, będzie fajnie! Spójrz, ten stary mnich chyba tu rządzi.

Witajcie, przybysze!

Oczekiwaliśmy was.

Jak to? Skąd wiedzieliście o naszym przybyciu? Przecież nie od Ladaj Damy!

Wiedza przychodzi na wiele sposobów, mój synu! Wiem też, dlaczego przybyliście. Szukacie jednego z naszych adeptów. Ale tu go nie ma.

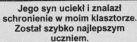

Nie ma?!

Wiele lat temu cesarz Ping Pong oskarżył pewnego człowieka o zdradę. Skazany musiał opuścić Kijtaj okryty hańbą.

Jego syn uciekł i znalazł schronienie w moim klasztorze. Został szybko najlepszym uczniem.

Dzia Dzing, mój najlepszy uczeń, czuł wielki uraz do cesarza Kijtaju! Pewnego dnia, gdy był już dorosłym mężczyzną, nagle zniknął.

Jeśli ktoś unosił się w powietrzu, to mógł być tylko Dzia Dzing.

Gdzie mógł pójść? Znajdziemy go! Nie spoczniemy, póki księżniczka King Kong nie będzie bezpieczna!

To szlachetne, lecz bardzo niemądre, przyjacielu.

Trenowałem Dzia Dzinga wiele lat. Jest adeptem starożytnej sztuki lewitacji.

A więc nie uda nam się go złapać...

Hej, ty! Jesteś pustogłowym! Mógłbym cię trenować!

GGGOOOOONGGGG!!!

Goofy?!

Moi uczniowie całymi latami próbują opróżnić swe umysły z myśli. Tylko w ten sposób mogą otrzymać starożytne nauki.

Ale nasz przyjaciel może przeskoczyć ten etap i od razu nauczyć się starej sztuki!

Jejcia!

W międzyczasie...

Moja biedna córka! Moja piękna King Kong! Po cóż ktoś miałby ją porywać? Musimy ją odzyskać!

Pełnia czasu odpowie na wszystkie pytania. Co ma być, to będzie.

Ty mały szczekaczu! Jak śmiesz tak mówić, kiedy moja córka zniknęła?!

Proszę się uspokoić, Wasza Wysokość! Uwaga na zdrowie!

To wszystko twoja wina! Moja córka była twoim gościem! A to oznacza wojnę!

Słyszysz mnie? Wojnę!

Wasza Wysokość, proszę! Musisz odpocząć.

Większym zmartwieniem niż wojna jest zdrowie cesarza... Tylko bezpieczny powrót córki może go wyleczyć.

Tymczasem w klasztorze zaczynają się zajęcia...

To mi nie wygląda na trening sztuk walki.

Fakt! Jak mam pokonać tego zbira? Pędzelkiem?

Uczeń nie zadaje pytań, tylko wykonuje polecenia. A teraz maluj i nie gadaj!

Mistrzu, skąd wiedziałeś, że przyjdziemy? I jak Goofy może się nauczyć tego, co ty?

Umiejętności zdobywa się ciężką pracą! Jeżeli pustogłowy otworzy się na wiedzę, ona sama na niego spłynie.

No, wreszcie skończyłem! Ale harówka! jestem gotowy na przekąskę i miłą drzemkę!

Chodź ze mną!

Jestem tak zmęczony, że nie widzę na oczy! Na pewno trzeba to robić dziś w nocy?

Pamiętaj, żadnych pytań. O, ominąłeś kawałek!

Nie rozumiem, jak ma to pomóc Goofy'emu w lataniu...

Dzięki wielkiemu zmęczeniu głowa pustogłowego jest jeszcze bardziej pusta! W ten sposób traci wagę i może zacząć się unosić...

Zaczynam powoli rozumieć...

ZZZZZ...

192

Jestem wymęczony po wczorajszym. To żaden trening! Staruszek znalazł sobie tanią siłę roboczą.

Nie narzekaj, tylko bierz się do roboty. Mistrz kazał mi cię pilnować.

Po której jesteś teraz stronie, co? I jak mam się dostać do okien na drugim piętrze? Są za wysoko!

Ten pędzel tam nie dosięgnie. Mistrz pewnie myśli, że jestem jakimś cudotwórcą...

Goofy, patrz! Udało ci się!

Jejcia! Serio?!

Przecież już leciałeś! Co się stało?

Zgubiłem się! Raz jestem na górze, a raz na dole...

Zacząłeś myśleć! Nigdy nie wolno ci tego robić!

Później... Obiadek, Goofy! Czas na codzienną miseczkę ryżu i słabą herbatkę!

Nie dziś, Miki. Mam ochotę na pizzę pepperoni!

Daj spokój, jesteśmy na odludziu. Skąd ta pizza? Ma nam spaść z nieba?

Jejcia! Jest! I to punktualnie!

Jak to zrobiłeś? Nigdzie dookoła nie sprzedają pizzy!

Nie wiem! Po prostu chciałem pizzy i wiedziałem, że przyjdzie!

Mamy sos czosnkowy w promocji.

Tymczasem w Jubecie...

Ooooo ja nieszczęsny!

Wasze Dostojności! Księżniczka przemówiła przez radio!

Zaraz usłyszysz księżniczkę... Jak tylko znajdę właściwy kanał...

...łeeeeooo... i wszystkim obywatelom Kijtaju mówię...

To ona! To King Kong! Mój kwiatuszek!

...że mój ojciec, cesarz Ping Pong, jest całkowicie skorumpowany! Nie zasługuje, by być cesarzem!

Ja, księżniczka King Kong, jestem prawowitą władczynią Kijtaju...

O ja nieszczęsny! Zdradzony przez własną córkę!

Cza Szu, podaj cesarzowi wodę!

Program radiowy nadawany jest na żywo z pałacu cesarskiego w Kijtaju...

...i jako wasza prawowita władczyni obejmuję pałac i zostaję cesarzową!

W rządzeniu będzie mi pomagał mój wierny doradca Dzia Dzing. Macie go słuchać tak jak mnie!

Dobrze się spisałaś, zahipnotyzowana laleczko!

196

Dzia Dzing! Znaleźliśmy tych szpiegów pod pałacem. Mówią, że są z klasztoru Pauolin.

Pauolin? Zostawcie nas samych.

Czy naprawdę wysłali za mną takich głupków jak wy?

Musisz wyzwać go na pojedynek, żebym mógł uwolnić King Kong.

Yyy... eee...

E... jesteś brzydki i śmiesznie się ubierasz, więc stawaj do walki!

Nie chcę z tobą walczyć, ty przerośnięty psie.

To nie działa, próbuj dalej, Goofy!

Ej, kolego! Twoja mama nosi oficerki!

Co powiedziałeś?

Zadziałało!

IIIJAA!

Nadszedł twój czas, piesku! Też ćwiczyłem w Pauolin! Pokaż, co potrafisz!

AIIJAAA!

Iiijaaałup!

Słabiutko, koleś! Uważaj, bo ci żyłka pęknie!

GRRRRRRR!

JUHUUUU!

Mój stary mistrz dobrze się spisał, z przyjemnością cię pobiję.

Wielkie nieba! Księżniczka King Kong! Jak dobrze cię widzieć!

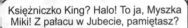

Księżniczko King? Halo! To ja, Myszka Miki! Z pałacu w Jubecie, pamiętasz?

?

Księżniczko, zostałaś uprowadzona! Musimy szybko cię stąd zabrać!

Co? Ale dlaczego? To mój dom. Czemu ktoś miałby mnie porywać?

Porywacz nazywa się Dzia Dzing. Cesarz wygnał kiedyś jego ojca, więc on porwał ciebie, żeby wyrównać rachunki.

Nic nie rozumiem. To nie ma sensu! Chodź ze mną, coś ci pokażę.

202

Co to ma wszystko znaczyć?

Człowiek z tej teczki jest najlepszym przyjacielem mojego ojca. Wiele lat temu został wysłany do Jubotu, by szpiegować Ladaj Damę!

„Wygnanie było jedynie sztuczką, by uniknąć podejrzeń".

To bohater narodowy Kijtaju! Gdyby Dzia Dzing nie uciekł, dowiedziałby się o tym.

Uszczypnij mnie i nazwij Dodą! Teraz go poznaję! To Cza Szu, wierny asystent Ladaj Damy!

TAJNY WSPÓŁPRACOWNIK!

I po tobie, piesku! Zaraz zrobisz "spocznij"!

Ale dał mi wycisk... Niech pomyślę... Nie! Mistrz zabronił mi myśleć!

Stój, Dzia Dzing!

Nie musicie walczyć! To wielka pomyłka!

Twój ojciec jest bohaterem w Kijtaju! Wyjechał z własnej woli do Jubetu, by w ukryciu służyć cesarzowi i swojemu krajowi!

Mam w to uwierzyć? Chcesz mnie nabrać, żeby uratować kumpla? Nic z tego.

Spokojnie, kolego! Mówię prawdę!

Nie uciekniesz mi, myszonie! Twój kolega już się o tym przekonał, pora na ciebie...

Aj! Goofy, musisz użyć swoich mistycznych mocy...

...by wezwać Ladaj Damę! Powinien przybyć do Kijtaju z Cza Szu! Szybko!

Chcesz usłyszeć prawdę? To słuchaj! Mój ojciec został wygnany...

...przez cesarza Ping Ponga. Teraz ja porwałem jego córkę, żeby dostał za swoje!

Wysłuchaj mnie, Dzia Dzing! Próbuję ci powiedzieć...

Auć! Ty chyba nie lubisz słuchać... Au! Ojć!

Ale szybko przybyliście! Goofy ledwo was wezwał! Chłopak musi mieć wielką moc!

Ale o co chodzi? Stary mnich zadzwonił do nas, jak tylko opuściliście Pauolin! Bał się, że Dzia Dzing spuści wam niezłe lanie!

Nareszcie nasze kraje się pogodziły! Koniec ze szpiegowaniem i podchodami!

I żadnej walki!

Miki, możemy wrócić do klasztoru, żebym się oduczył tej całej sztuki walki?

Niech zgadnę – trudno ci iść przez życie z pustą głową, co?

KONIEC

212

214

Nigdy nie widziałem tak idealnie czystego klejnotu!

A co do zapłaty...

Oczywiście gotówką! Superkwęku, podaj walizkę z dolarami!

Taka mała?

To wersja chroniąca przed kradzieżą...

...ale po dodaniu kropli powiększacza odzyskuje swój naturalny format!

BRZDĘK

Robienie z panem interesów to prawdziwa radość.

Cała przyjemność po mojej stronie, ponieważ teraz oddacie mi diament!

Proszę go tu położyć!

Jeśli to jakiś żart...

215

Skądże! Potrawy, które właśnie zjedliście, zawierały silny narkotyk!

Tak więc jakakolwiek reakcja jest pozbawiona sensu, panie Superkwęk! Za dwie sekundy zapadniecie...

...w głęboki sen!

ZZZ
ZZZ

Są wasi! Wiecie, co z nimi zrobić!

Tak, szefie!

Co się stało?

Mają sjestę po obfitej kolacji! Pomagamy im wrócić do domu!

Droga wolna!

Hej, wy!

Co jest w tej skrzynce?

Hm... jedzenie! Tak, przeterminowane puszki... do wyrzucenia!

A ten hałas?

CHRU CHRU

To... to... śpiewające fasolki! Che... che...

CHRU CHRU

Che, che, che! Stary żarcik, ale ciągle śmieszny!

Dobranoc, panie władzo!

Fiuuu!

Wiele godzin później...

Ziew! Gdzie my jesteśmy?

W starym samolocie lecącym nie wiadomo dokąd!

Teraz sobie przypominam! Ten oszust zgarnął klejnot, dolary... Hej, co się dzieje?

Co to za styl pilotowania?

TOMP

Chlip! Moje dolarusie...

Od kogo ten pilot dostał patent?

218

O nie! Kabina jest pusta! Przez sen wydawało mi się, że trzasnęły drzwiczki! To pewnie piloci wyskoczyli ze spadochronem!

A przed skokiem zablokowali stery! Obawiam się, że przygotowali nam następną niemiłą niespodziankę!

Puste zbiorniki paliwa? Bomba zegarowa? Albo...

...klapa wyładunku towarów, która sama się otwiera...

KLAK

Zrób coś Superkwęku!

Daj mi chwilę! Szukam...

...o właśnie znalazłem!

BĘG

TRACH

Przynajmniej jesteśmy w jednym kawałku!

Odważni szczęściarze... co spadli z nieba! Witajcie, cudzoziemcy!

Dziękujemy, ale gdzie my jesteśmy?

W Indiach! A dokładniej na obrzeżach Chelum, wioski, którą mam zaszczyt rządzić!

Oczekiwaliśmy was! Proroctwo zapowiedziało wasze przybycie... ale chodźcie, wyjaśnię wam wszystko od początku!

W naszej małej wiosce mieszkają rolnicy i rybacy! Od wieków Żłobkowany Kamień, magiczny i święty talizman, chronił nas przed niepowodzeniami! Jednak wieść o tym talizmanie dotarła do maharadży Kodarhasy, który postanowił go sobie przywłaszczyć...

...wysyłając po niego żołnierzy!

Od tego czasu prześladuje nas pech – rzeka wysycha, zbiory ryżu są niewielkie...

CHRUP

...jabłka robaczywe...

TFU!

Według przepowiedni dwóch mężnych cudzoziemców, którzy spadną z nieba, stawi czoło żołnierzom i przywróci talizman wiosce!

Mam nadzieję, że się nie pomyliłem i że to wy jesteście tą dwójką!

To my! Taka misja idealnie nadaje się dla Superkwęka... i oczywiście dla Sknerusa!

Dla mnie...?!?

Jestem tylko biednym starcem!

Czego się boisz? Ludzie tutaj są bardzo mili!

224

Kto się nadział na haczyku, ten nieszczęścia ma bez liku!

Hę?

Superkwęk, zaczekaj! Idę z tobą!

ZIUUUM

I tak...

Simba zna drogę, poprowadzi was do Kodarhasy!

Miło cię poznać, Simba!

KLEP

KLEP

CHLUUUST

Gratulacje! Robi tak tylko wtedy, jak kogoś polubi!

Całe szczęście, że zapas dolarów ukryty w podwójnym dnie cylindra się nie zamoczył!

Wrócimy z talizmanem!

Powodzenia!

Zaczyna się podróż w stronę Kodarhasy...

Superkwęku! Na pomoc, wąż!

Spokojnie, ja się tym zajmę!

SSSS

Spróbuj tego cukierka...

...o smaku rumianku, zobaczysz!

?

Jestem Karim, pierwszy minister Jego Wysokości maharadży Suhi, który będzie zaszczycony, goszcząc was na obiedzie!

Ta niespodziewana uprzejmość jest podejrzana!

GONG

Nie musicie czekać ani minuty, by poznać Jego Wysokość! Obiad jest gotowy!

Dla nas też liść sałaty i marchew?

To wszystko?

Hej, chwila! My nie jesteśmy na diecie!

PSYYT!

Inne potrawy kusiłyby Jego Wysokość...

...a to byłoby przestępstwo ukarane natychmiast przez tego strażnika!

Skoro takie jest prawo, zadowolimy się tym, co mamy!

Jestem głodny!

Hej! Gdzie się podziały talerze?

Oddajcie mi przynajmniej sałatę z marchewką!

Zrozumiałem – odbieranie jedzenia maharadży to też przestępstwo! Strażniku, możesz wrócić na miejsce!

CHRUP CHRUP

Później...

Na szczęście udało mi się zdobyć trochę owoców w kuchni!

Sknerusie, otwórz! To ja, Superkwęk!

PUK PUK

Pewnie ucina sobie drzemkę! Zostawię mu coś na potem, jak już się obudzi!

233

O kurczę! Uderzenie głową otworzyło tajne przejście!

ZGRZYYT

Najpierw niby tacy mili, a potem strażnik o mało co nie ucina mi głowy...

...to wszystko jest bardzo podejrzane!

Zamknięte drzwi! Ciekawe, co się za nimi kryje!

Może jak nacisnę któryś z tych fryzów...

236

Sam nie wiem, jakim cudem tak szybko wyskoczyłem, gdy stopiły się kraty!

Tam w głębi korytarza widać światło i chyba słyszę głosy!

Podziemna świątynia i... Sknerus! Oto, czemu wcześniej nie odpowiadał – porwali go!

237

...niczego ci nie dam...

Nie masz wyjścia!

...nawet dziury z przedziurawionego centa!

Sam oddasz mi dobrowolnie swoje pieniądze...

...jak tylko spryskam cię gazem poddaństwa! Będziesz mi ślepo posłuszny jak maharadża!

A potem dam ci butlę gazu...

...i kiedy wrócisz do Kaczogrodu, spryskasz nim swoich kolegów miliarderów...

Potem rozkażesz im, aby przekazali mi cały swój majątek! Zostanę najbogatszym człowiekiem świata!

Muszę grać na zwłokę! Może Superkwęk mnie szuka, może przyjdzie mi na ratunek!

Kto powiedział, że twój plan wypali?

Jak dotąd wszystko idzie gładko, tak?

To wszystko zasługa Żłobkowanego Kamienia...

...fantastycznego talizmanu, który kazałem zabrać z wioski Chelum!

Auuuć!

Czuję, że talizman zaczyna i mnie przynosić szczęście!

HOPS

239

240

242

243

244

245

246

251

252

WUJEK SKNERUS

Chiński żart

Hm! Jeśli się dobrze zastanowić, to ten chiński filozof Kwa-Czu-I ong ma trochę raoji...

I pomyśleć, że w jego czasach, tysiąc lat temu, ludzie nie mieli tylu zmartwień, co teraz!

Ach, prosty żywot w ubóstwie, uprawianie poletka bez martwienia się o pieniądze...

Jednakże...

...codzienna kąpiel w pieniądzach też jest niczego sobie! Che! Che!

Hm! Jakoś dziwnie się dziś czuję! Może zaszkodziło mi to czytanie chińskich filozofów!

Jeśli ślachetny Sknelus poźwoli, chciałbym dać mu ladę!

Hę?

Chciałbym powiedzieć ślachetnemu, zieby wyzucił wszystkie pieniążki i...

A ten skąd się tu wziął?!

$

Jestem Kwa-Czu-Long, starożytny chiński filozof!

Nie... niemożliwe!

Nie maltw się, wsistko jest możliwe dla nas, olientalnych mędlców!

Wiem, ze ślachetny Sknelus citał moje książki, i dlatego psibyłem, by zaplosić go do lozdania jego pieniędzy i zycia w ubóstwie!

Chyba śnię!

Jeśli zlobisz to, co mówię, będziesz żył szczęśliwie i bez stlachu psed złodziejami!

Słuchaj, nie wiem, skąd się tu wziąłeś, ale jeśli myślisz, że mam ochotę wyrzucać swoje pieniądze, to pomyliłeś adres!

Mam trzy hektary sześcienne dolarów i pluskam się w nich, kiedy przyjdzie mi ochota!

I nie uważam, że bez pieniędzy lepiej się żyje! To, co napisałeś w tych książkach, to jakieś bzdury!

257

Widzis, gdybyś był biedny, nie bałbyś się zostawić otwaltych dźwi!

Hm!... W sumie masz rację...

...ale nie znasz Braci Be! Jak trafią w te okolice, opróżnią mi skarbiec!

Tu nie być Blaci Be, bo to mój klaj tysiąc lat temu!

Jedyna rzecz, jaką rozumiem, jest taka, że nic nie rozumiem!

Bogacza dlęczy stlach, że zostanie okladziony! On zawsze chowa!

A biedaka dręczy konieczność włożenia czegoś do garnka!

Ty mieć obsesję!

Może i mam obsesję, ale wolę pierwszego z tej dwójki!

Ach tak?

No to powiedz mi, na co zdadzą się twoje pieniądze w takim psypadku jak ten!

261

Hej! Chyba żartujecie! Nie wymachujcie tak tą szpadą!

My nie obciąć twoja głowa, ale żądać okupu!

Źle trafiliście, szlachetni panowie, jestem biedakiem i wędruję po świecie, głosząc ubóstwo!

A jeśli zechcecie dać mi jałmużnę, mój kapelusz jest duży i pusty!

Cooo?!

Wykopcie stąd tego obdaltusa!

Natychmiast, szefie!

Nie pomagas, spadas, zebraku!

Dziękuję!

265

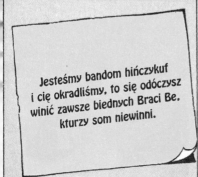

Jesteśmy bandom hińczykuf i cię okradliśmy, to się odóczysz winić zawsze biednych Braci Be, kturzy som niewinni.

Łajdaki! Myślą, że ich nie rozpoznałem! Nie potrafią napisać dwóch linijek bez błędów ortograficznych!

Rzeczywiście...

Sprytnie zrobiłem, zostawiając ten bilecik!

O tej porze Sknerus pewnie już napuścił policję na bandę chińskich złodziei!

Pomysł wpuszczenia do skarbca tego chińskiego gazu usypiającego też był ekstra!

Trzeba przyznać, że jesteśmy geniuszami!

KONIEC

270

Każdy z nich próbował otworzyć ten sejf i nikomu się nie udało.

Rany mamuta! Henio Złota Rasia! Lepki Maniek!

Śmietanka kaczogrodzkich włamywaczy!

A na szczycie wy!

Teraz zabierzemy was do Industanu, żebyście pomogli nam ukraść szafir maharadży!

UFF!

Jeśli wam się nie uda, zjedzą was sympatyczne rybki w rzece Gandżara!

OJ!

A zatem...

Czyli mamy tylko ukraść szafir, powiadasz?

Bardzo ważny szafir, który należy do maharadży!

274

275

276

277

278

279

Może uda nam się wymknąć do domu, zanim nas zauważą...

Ale...

Co tak wcześnie? Gdzie szafir?

OCH!

Eeee... Co prawda nie udało nam się go zdobyć, ale...

Co?! Rzucić ich rybom na pożarcie!

Litości! Zasługujemy na drugą szansę!

No dobrze...

Szpiedzy donieśli mi, że w drodze powrotnej maharadża zatrzyma się, by zapolować na tygrysy. To wasza szansa!

Tak jest!

283

284

285

286

A zatem...

Ups! Te mury są dość wysokie!

Uderzymy w najsłabszym punkcie, przy rzece.

Tej nocy...

Jak miło, że ktoś zostawił nam tę łódkę! Che, che!

ĆŚŚŚ!

287

290

292

293

MYSZKA MIKI

Chińska dama

Wielkie święto w Myszogrodzie, w słynnej chińskiej dzielnicy...

...którą Miki i Minnie postanowili odwiedzić... z okazji chińskiego święta smoka!

Biegiem, Minnie! Właśnie przechodzi pochód!

Patrz! Smok szczęścia!

Fantastyczny!

Są też tancerki!

Hej, panie! Zobaczcie tam, w tłumie!

O co chodzi, Huei?

Tamta dziewczyna!

Co za niesamowite podobieństwo!

297

TRZASK

?!

Uprzejma,
nie ma co!

Gdyby przeskoczyli ten
mur, zobaczyłbym ich! Czyli...

...musieli wejść tutaj!

Oj! Oj! Ktoś zamknął drzwi!
I to raczej nie z powodu...

KLIK

...przeciągów! Uch!

To nie znaczy, że się poddaję!

Poszukam innej drogi!

Kto przed Chun Daiem się kryje, w kłopotach tkwi po szyję!

Chodź tu! Szybko!

Lepiej, żeby tamci cię nie znaleźli, przyjacielu!

Dobrze! Poszli sobie!

Chodź ze mną! Wyprowadzę cię stąd!

Proszę bardzo! A teraz wyjaśnij mi, jak się wpakowałeś w te tarapaty?

Ktoś porwał moją narzeczoną i...

Chun Dai każe porywać dziewczynę? Bardzo dziwne!

Kim jest ten Chun Dai?

Praktycznie władcą wszystkiego tutaj! W naszej dzielnicy jego słowo jest prawem!

OOOCH!

Ale nie wszyscy są na jego rozkaz! Na przykład ja nie!

Dziękuję za pomoc i za informacje! A teraz idę na policję i...

I to nic nie da!

W naszej dzielnicy panuje autonomia!

Wiem! Ale co mogę zrobić?

Ja ci pomogę, przyjacielu! Mam na imię Ping!

Dobrze, Ping! Ja jestem Miki!

Najpierw wróćmy do uliczki, w której zniknęła Minnie!

Nie będzie łatwo znaleźć tego miejsca.

Dlaczego? Pamiętam tę ulicę doskonale! Jest na rogu tegu sklepu z lampionami!

...ale najpierw wpadniemy do mnie!

Po co?

Po chwili...

Teraz rozumiesz?

Tak! Che! Che!

I tak...

Przyszliśmy zrobić przegląd komputerów!

Hm...

Możecie wejść! Trzecie piętro! Tam jest winda!

Dzięki, przyjacielu!

Dwóch podejrzanych facetów wchodzi na trzecie! Podali się za speców od komputerów!

Poczekaj! Rozsądniej jest pójść schodami!

Dobry pomysł!

Skoro już tu jesteśmy, rozejrzyjmy się!

II PIĘTRO

A co zrobimy z porwaną dziewczyną?

Wymienimy ją za chińską damę!

Słyszałeś? Mówią o Minnie!

Tymczasem...

III PIĘT

Nikogo tu nie ma!

Szybko, uprzedźmy szefa!

Chun Dai nie będzie zadowolony!

Ktoś idzie! Schowajmy się, szybko!

II PIĘTRO

307

309

Miki opowiada o tym, co się stało i...

...i słyszeliśmy, jak mówili o chińskiej damie!

Hm...

Dobrze! Zobaczmy!

Hej! Co on robi?

Pyta wyrocznię przodków!

Jej! To przecież...

...Minnie! Skąd pan ma jej zdjęcie?

Jaka Minnie? To jest Chin Chin, wnuczka starego Tsunga!

Naprawdę, Miki!

Nie do wiary! Wygląda identycznie jak moja narzeczona!

W takim razie... to dlatego twoja Minnie została porwana!

Całkiem możliwe! Tsung oddałby wszystko, żeby dostać z powrotem swoją Chin Chin!

Czy ona również zniknęła?

Tak! Już jakiś czas temu! Ale opowiadają, że chciała wyrwać się spod tyranii dziadka!

Jednak dziadek się z tym nie pogodził i nadal jej szuka!

Czyli Chun Dai mógł wziąć Minnie za Chin Chin?

O nie! Chun Dai nie jest głupi! Musi mieć jakiś plan!

Zobaczmy, co przygotowała dla nas przyszłość...

Ale...

Co... co to znaczy?

Kto wie? Dziadek lubi być tajemniczy!

A to co?

Och! Drobiazgi, które nam się przydadzą!

A teraz chodźmy uwolnić twoją Minnie!

Nie chcę być niegrzeczny, ale czy jesteś pewien, że twój dziadek...

Zaufaj mu, Miki! Jest niesamowity!

Nieco później w jaskini Chun Daia...

Patrzcie! Chun Dai ma gości!

I to ważnych! To stary Tsung, dziadek Chin Chin!

Już zastawił pułapkę!

Tak! Ale ja nie pozwolę, żeby użył Minnie jako przynęty!

Problemem będzie dostanie się do środka!

Nic prostszego! Chodźcie za mną!

RESTAURACJA

Hę?

Wyjechaliśmy trochę za wysoko!

KLIK

Wybaczcie... ale marny ze mnie zwrotniczy!

Che! Che!

Po przejściu korytarzy i pokonaniu schodów...

Dotarliśmy! I to w samą porę, jak widzę!

Uff, uff! Daleko jeszcze?

Psyyt!

Minnie!

Skąd się tu wziął ten szpieg? Brać go!

Trzymaj, Ping! Teraz pora na użycie medalionów!

Dobrze, dziadku!

Załóż go na szyję i... jazda!

Ale...

Niesamowite!

Ty też tak możesz!

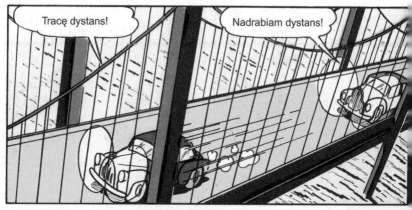

326

I tak, nieco później...

Widzisz, dokąd prowadzi lekkomyślność? Prosto do więzienia!

Rzeczywiście... ...i kazałem porwać dziewczynę, ponieważ jest sobowtórem Chin Chin!

Czyli chińskiej damy!

Ależ nie! Chin Chin jest Chinką, ale nie jest damą!

Hy?! Ale...

Do kroćset! Brakuje tu dziewczyny! Chinka czy nie, kim jest dama?

Che! Che!

Czy mogę? Oto chińska dama! To gra!

Jest niezwykle cenna! Chun Dai wiedział, że oddam ją w zamian za tę, którą uważałem za swoją wnuczkę!

Wszystko by dobrze poszło, gdyby nie ta wścibska mysz!

Che! Che!

W końcu...

Wszystko się idealnie ułożyło!

Nie dla mnie! Naprawdę miałem nadzieję, że odnajdę swoją ukochaną wnuczkę!

Skoro jest pan taki zdolny, może ją pan odnajdzie?

Hm... raczej nie! Ale...

...mogę coś panu poradzić gratis! Proszę być bardziej czułym i nowoczesnym dziadkiem, a zobaczy pan, że pańska wnuczka wróci!

CHIŃSKI KARNAWAŁ

CHINATOWN

233

KONIEC

Scenariusz: L. i M. Marinato, rysunki: A. Perina

Mędrzec rzecze: „Wujek nadąsany, wieczór przerąbany"! No właśnie, o tej porze miałem być już na lekcji!

Buuuu! Czy ty nie masz serca?

Mój majątek jest w niebezpieczeństwie, a tobie lekcje w głowie!

Muszę zdać egzaminy, aby zostać dojrzałym mandarynem! Nie mogę tego zawalić!

Wujek Wonald powtarzał je już piętnaście razy...

Ciekawe, czy tym razem mu się uda!

.Mam nadzieję! Egzaminy z tańca z pelotą i jednosylabowej poezji są najtrudniejsze!

Raczej bezużyteczne!

Po co mi mandaryn? Wolałbym siostrzeńca wojownika, aby pokonać Mongołów!

Gdybyś nie oszczędzał na materiale, o tej porze Wielki Mur Chiński zatrzymałby atak wrogów!

Oszczędzał?!

Po prostu... hm... wyświadczyłem przysługę naszemu cesarzowi, unikając niepotrzebnego szastania pieniędzmi!

Ale wróćmy do nas! Jestem skłonny zafundować ci kurs sztuk walki!

Wolę zostać mandarynem, niż dać się wycisnąć jak cytryna takiemu sknerze, jak ty!

Jeśli chcesz bronić własnych pieniędzy, zatrudnij profesjonalistów! W końcu jesteś Sknelusem Sen Kwaczem, najbogatszym kaczorem w mieście!

Prych! Wiem!

I, niestety, inni też! Żądają ode mnie zawrotnych sum!

332

Wręcz przeciwnie, ceremoniał herbaty jest bardzo relaksujący!

Phi! Gdybym nie był jej największym producentem, chętnie bym to sobie odpuścił!

I popełniłbyś błąd! W Japonii herbata z gorzkich bulw jest rozchwytywana, powinieneś przynajmniej jej spróbować!

Masz rację, siostrzeńcze!

Harpagang przygotował ją tak jak na Hokkaido, czyli wrzącą!

AAAA!

Tego wieczoru Wonald, w towarzystwie Zinga, Hinga i Dinga, wyrusza w tajną misję...

Port jest pełen cudzoziemców! Zaczniemy tam!

334

Dobry wieczór szanownym panom! Proszę wybaczyć, że przeszkadzam! Czy znają panowie niejakiego Sknelusa Sen Kwacza?

Nigdy o nim nie słyszałem! Dopiero co przypłynęliśmy!

Czyli jesteście cudzoziemcami! Skąd pochodzicie?

Z Ki-Jem-Go, miasta na południu Japonii, i jesteśmy roninami!

Roninami?!

W „Podręczniku Młodych Mandarynów" jest napisane, że to samurajowie bez pana...

...czyli wojownicy zręcznie władający szpadą i wierni kodeksowi honorowemu!

PODRĘCZNIK MŁO

Są gotowi przystać na służbę do feudała, byle tylko móc walczyć!

Doskonale! Czyli przybyliście tutaj...

PODRĘCZNIK MŁODYCH MANDARYNÓW

337

To wszystko! Teraz możecie zacząć trzymanie straży!

Hm... to niemożliwe, szlachetny Sknelusie!

A to dlaczego?

Dopiero co przyjechaliśmy do miasta i mamy kilka ważnych spraw do załatwienia!

Proszę nam dać trzy dni!

Prych! Niech wam będzie!

Tylko uprzedzam, że zapłata liczy się od momentu, gdy zaczniecie! Ani sekundy wcześniej!

Załapaliśmy, o co chodzi, panie! I nie tylko to! Che, che!

Naprzód, moi dzielni samurajowie! Przygotujmy narzę... ekhm... broń!

Sajonara!

Mędrzec rzecze: „Grosza będzie wiele, gdy na straży twardziele!".

Dzięki kluczom i mapie pułapek wejdziemy ciemną nocą do skarbca-pagody i nikt nam nie przeszkodzi w robocie!

Tak! Najpierw jednak...

...musimy znaleźć jakiś transport na łup! Do roboty, chłopaki!

Rety!

Słusznie ich podejrzewaliśmy!

Uprzedźmy wujka Sknelusa!

Że cooo? Oddałem się w ręce bandy rabusiów?

Obawiam się, że tak, wujku!

Buuuu! Jestem zrujnowany!

Mędrzec rzecze: „Gdy wujek drze się nie na żarty, ty się lepiej zacznij martwić!".

Wszystko przez ciebie! Mogłeś się o nich więcej dowiedzieć!

Chlip! I co ja teraz pocznę?

Uprzedź cesarskie straże!

Nie mogę donieść na Braci Beng, jeśli jeszcze nie popełnili przestępstwa! A kiedy już będę mógł to zrobić, będzie za późno!

Nie wspominając o tym, że mój rywal Kwakerwong będzie się ze mnie nabijał przez rok!

W takim razie wymień zamki w skarbcu!

Hm... to niemożliwe! Musiałbym kupić je od jedynego rzemieślnika, który wytwarza przekładnie zębate do zamków!

No więc w czym problem?

Cóż, jeszcze nie zapłaciłem za poprzednie... Wstyd mi się znowu do niego zwracać!

Mędrzec rzecze: „Czas zapłaty bliski, spakuj swe walizki!".

Przestań już z tymi przysłowiami!

Uspokój się, wujku! Nie ma sensu się złościć!

Jej!

W podobnej sytuacji nic tak nie pomaga jak łyk herbaty z ostrej papryczki, proszę pana!

Rety!

Buuuu! Herbata nie jest skutecznym sposobem na Braci Beng!

ŁUP

No przecież! Dlaczego wcześniej na to nie wpadłem?

Dioming! To on wybawi mnie z opresji!

W ten sposób...

Przykro mi, Sknelusie, ale nie dam rady! Mam spore zaległości w pracy...

343

...a poza tym muszę udoskonalić niektóre wynalazki!

Jakie?

Na przykład to urządzenie, które służy do orientacji! Cały czas wskazuje południowy zachód!

Albo ten czarny proszek do szybszego gotowania kiełków soi!

Jejku! Nie działa?

Aż za dobrze! Wiosenna zupa wylądowała na suficie!

Oj!

A ten smok? Zabawy ci się zachciewa?

Przecież mamy rok smoka! Każdy buduje jednego, by go uczcić!

Przez kilka tygodni na ulicach będą paradowały... do wyboru, do koloru!

No tak, zrobi się wielkie zamiesza... hej! Mam pomysł!

Mógłbym użyć jednego do ucieczki!

Racja! W ten sposób nie tylko zapewni ci szczęście, ale przeniesie również twe ukochane monety z dala od Braci Beng!

Mógłbym pożyczyć ci mojego smoka... po kilku poprawkach!

Dzięki, Dioming! Liczyłem na to!

Mędrzec rzecze: „Jeśli schowasz złoto zgrabnie, nikt go wtedy nie ukradnie!".

Che, che! Czasem powiesz coś sensownego, siostrzeńcze!

347

350

I...

Patrzcie! Święty smok pożarł wszystko! To dobry znak!

Przynieśmy mu następne ofiary!

Ale skończyło nam się jedzenie!

Ofiarujmy mu dym z kadzidła!

Dobry pomysł!

Zapalcie kadzidełka!

Niuch... czuję swąd spalenizny!

Khy! Nie mogę oddychać!

Mam alergię na kadzidło! Aaa...

Wiele czasu później...

Jej! Zgubiliśmy się! Jak teraz znajdziemy kierunek?

Za pomocą tego urządzenia, tak?

Ekhm... nazywa się busola, ale mówiłem ci, że muszę ją dopracować!

Uf! Czy nie moglibyśmy się zatrzymać, gdy tak rozmawiacie? Jestem zmęczony!

Odwagi, wujku!

Hej, ktoś nadchodzi!

Czy to przypadkiem nie Bracia Beng?

Nie! To karawana! Wyglądają na cudzoziemców!

356

I tak...

Czy to właściwy kierunek?

Nie sądzę!

ZGRZYT
ZGRZYT

Patrz w górę!

Jej! Tylko nie to!

Aha! Smok kaczorów!

Zwiad Braci Beng!

Bracia Beng nas wypatrzyli! Musimy ukryć się za tą górą!

Ech... ech! Jest za daleko! Dogonią nas...

...zanim zdołamy zniknąć im z oczu!

Masz rację, chyba że...

358

BUUUUM

Patrzcie! Wyłom w murze!

364

368

Nie mogę się doczekać, żeby zobaczyć tutejsze lepido... ledipo... motylki!

A ja ponurkuję wokół raf koralowych!

Ach, Żelkowa Zatoka! Ale teraz mam ochotę na krótką drzemkę. Ziew!

Nie chcę zasnąć... Zzz...

ZZZZZZ!

PST!

Tak będzie wygodniej.

Wiele godzin później...

Oj! Chyba chwilkę się zdrzemnąłem...

Raczej kilka godzin...

Aj!

To chyba nie jest pociąg do Żelkaju?

O nie! To Dżambad Ekspres!

No ładnie!

Hej, śpiąca królewno!

Co?! Człowiek za burtą!

Twój cudowny bilet był na inny pociąg!

Być może. Ale nie zaprzeczysz, że cena była bardzo korzystna!

Ple, ple...

Oj, masz rację!

371

Pan Gupta i ja, czyli pani Gupta, chcielibyśmy podzielić się z wami naszym skromnym posiłkiem.

Na pewno dla nas wystarczy?

Na pewno! Zawsze robimy zapasy na długie podróże.

A to są...

Czapati, puri i samosy! Indyjskie smakołyki!

Oj, samosy są najlepsze!

ŁAAA!

KA-PING!

SZUUU!

374

Ale nie wiemy, co się stało z resztą pasażerów.

Może chodźcie do naszego pana.

Jasne! Lepsze to niż siedzenie tutaj...

A kto jest waszym panem?

Jego dostojność maharadża Pandżaphuru.

Trzymajcie się mocno. W Pandżaphurze nie jest już bezpiecznie!

378

Kim byli ci bandyci, którzy napadli na pociąg?

To uczestnicy powstania Nasteków...

Nasteków? A kto to?

Nastekowie to wyznawcy Nasta, bóstwa niegodziwości!

Wygląda na to, że się pojawił, a jego wyznawcy demolują Pandżaphur...

Może lepiej się ewakuować, póki jeszcze możemy?

Poznajcie mojego kuzyna Radżiwa. Skończył studia naukowe na Zachodzie!

Zaawansowana fizyka i technologia laserowa!

Na pewno nie wierzysz, że pojawiło się jakieś bóstwo?

Co prawda studiowałem na Zachodzie, ale nie porzuciłem naszych tradycyjnych wierzeń!

Ani Mugole, ani Brytyjczycy nie wypędzili moich przodków, więc Nastekom też się nie uda!

Ale wy nie musicie się narażać na niebezpieczeństwo.

Dam wam zbrojną eskortę, która zabierze was z Pandżaphuru.

Dziękujemy!

Będzie mi brakowało lepo... motylków.

383

384

388

Masz szczęście, że wezwałem policję, zamiast wrzucić cię do lochu!

Przez 5 lat studiował technologię laserową za moje pieniądze, a potem taki numer!

Ale trzeba przyznać, że to był niezły pokaz!

A wy dwaj, jakie macie teraz plany?

Jedziemy do Zatoki Żelkowej dokończyć wakacje!

WUJEK SKNERUS

Poranna herbata

Scenariusz: Gorm Transgaard, rysunki: Pasquale

399

401

A dla pewnego roztargnionego wynalazcy?

A więc chcą, byście odtworzyli słynne wyścigi żaglowców? Interesujące.

Co w tych statkach takiego interesującego?

To największe żaglowce, jakie kiedykolwiek zbudowano! Podróżowały z Chin do Europy w XIX w.

Arystokraci płacili fortuny, by popijać herbatkę ze zwycięskiego statku, więc handlarze musieli budować większe i szybsze żaglowce.

Aż do czasu, kiedy pojawiły się parowce i zakończyły wyścigi żaglowców.

No dobrze...

...ale czy potrafisz mi zbudować replikę „Mokrego szczurka"?

Będę musiał zatrudnić armię cieśli, ale powinno się udać.

405

Dziś herbatę przesyła się odrzutowcami, ale kiedyś szyscy jej miłośnicy oczekiwali wielkich żaglowców w każdym porcie!

Czeka nas powtórka z historii!

Gotowi na podróż...

...do Cing Ciong i z powrotem... start!

BANG!

Postawcie wszystkie żagle!

Mamy człowieka na pontonie!

Pewnie jakiś turysta, którego zniosło z plaży...

Musimy mu pomóc!

Stracimy prowadzenie! Ojojoj!

Takie jest prawo morza – musimy sobie pomagać.

No dobrze, spuścimy szalupę z Donaldem. Nie ma sensu zawracać całego statku.

A zatem...

A niech to dunder świśnie!

Ufff!

Coś słabiutko, Donaldzie! Nie doganiamy go!

Wiosłuję... Pufff! Tak szybko... Ufff! Jak tylko mogę...

410

Co się stało? Gdzie rozbitek z pontonu?

Ten „rozbitek" to wilk w owczej skórze!

Wszystkie żagle w dół! Straciliśmy prowadzenie i mnóstwo czasu!

Kwakerfeller nie cofnie się przed niczym. Musimy być ostrożni!

Tak jest, panie McKwacz.

Po długiej żegludze...

Wreszcie dotarliśmy do Cing Ciongu! Ciekawe, gdzie teraz jest Kwakerfeller...

412

BUUUM!

W her... w herbacie była bomba!

Skąd wiedziałeś, Sknerusie?

Kwakerfeller mnie naprowadził... drań!

Na szczęście wszyscy są cali.

Szybko, po miotły! Uratujemy moją herbatkę!

Tak jest!

Wnet... Straciliśmy sporo herbaty...

Nie szkodzi. Najważniejsze, żeby szybko zebrać resztę i wyruszyć z powrotem!

Nie widziałem wcześniej tej skrzyni. To jedyna, która się nie zniszczyła.

Lepsza jedna niż żadna.

Zabierz ją na pokład i podnieś kotwicę!

Tak jest, sir!

Później... Następny przystanek – Kaczogród!

Kwakerfeller wyprzedził nas prawie o cały dzień!

Wiem, ale dopóki jeden z nas nie dobije do portu, wyścig trwa!

414

Tej nocy...

Chyba nikogo nie ma...

Che, che, che!

Ktoś się jutro baaardzo zdziwi...

ZZZRZZRRZZRR....

Wyspa Czomp Czomp jest kilka mil stąd. Dotrę tam, zanim kaczory się obudzą...

Rankiem...

W porządku, Donaldzie? Wyglądasz nieswojo...

Chyba za dużo zjadłem na śniadanie... Czuję się ciężko...

Oj!

Uważaj!

415

416

Dumny „Mokry szczurek" został odholowany do najbliższego portu...

Ech... Co za smutny koniec...

Teraz utknęliśmy na wyspie Czomp Czomp...

Później... Hej, hej, to z ciebie śmieję się...

Co robisz, Donaldzie!

Herbatkę! Mamy jej pełno, zapomnieliście?

POP!

Oj!

418

419

Wiele dni później...

Che, Che! Nikt nie przeszkodzi „Fusom z cytrynką" w wygranej!

Na to wygląda, sir!

Eksplozja w porcie i podcięcie masztów powinny opóźnić McKwacza na dobre!

Sprytnie, sir!

Sknerus pewnie teraz ciężko dyszy!

Przepraszam, że przeszkadzam w samozachwycie, ale proszę spojrzeć!

Port kaczogrodzki! Co za wspaniały widok!

Ahoj, szczurze portowy!

?!

420

421

423

424

KONIEC

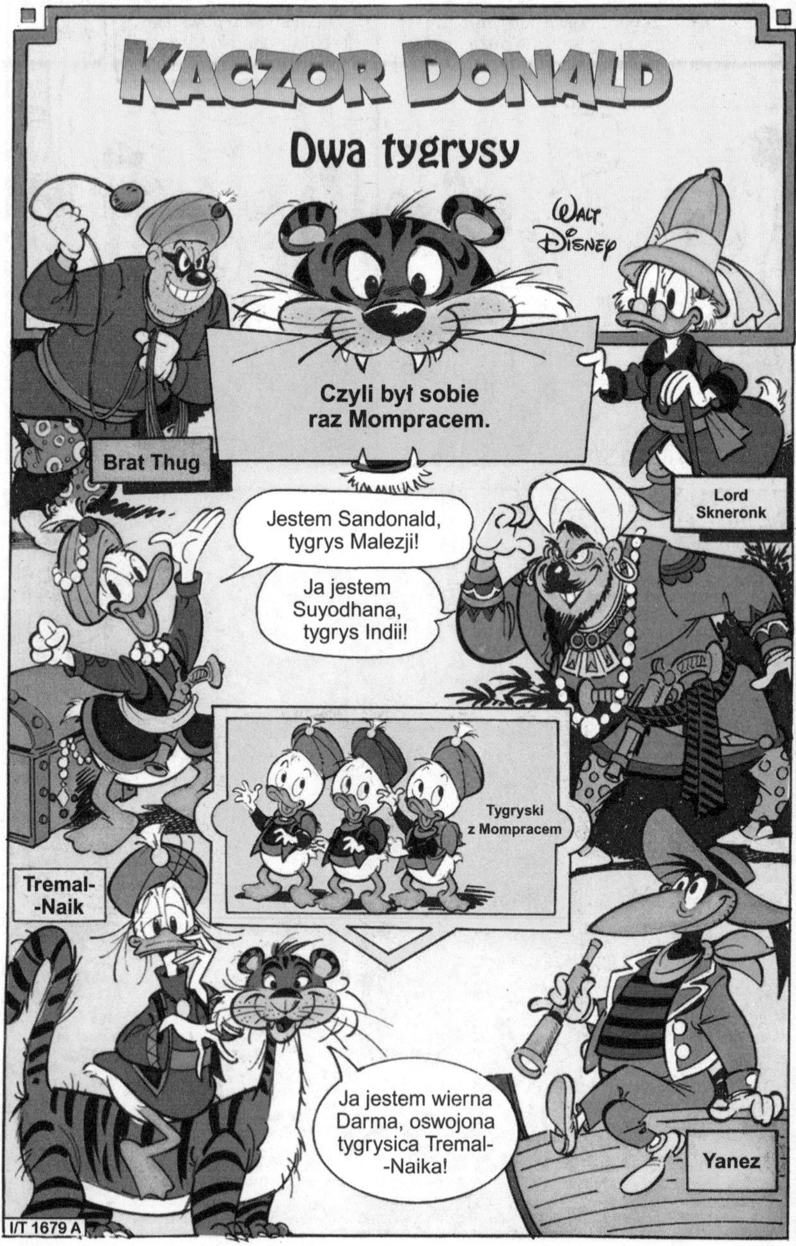

KACZOR DONALD

Dwa tygrysy

WALT DISNEY

Czyli był sobie raz Mompracem.

Brat Thug

Lord Skneronk

Jestem Sandonald, tygrys Malezji!

Ja jestem Suyodhana, tygrys Indii!

Tygryski z Mompracem

Tremal-Naik

Ja jestem wierna Darma, oswojona tygrysica Tremal-Naika!

Yanez

I/T 1679 A

429

430

Schroniłem się w delcie Gangesu, gdzie spotkałem Kammamuriego, służącego Tremal-Naika!

Przyszedłem prosić cię o pomoc!

Bracia Thug porwali piękną Adę, narzeczoną mojego pana, aby zrobić z niej kapłankę ich bogini Rali!

Oj!

Mój pan jest sam, w dżungli, bezsilny wobec potężnej sekty!

Sekta czy sekcja, już ja ich załatwię!

Wyruszamy na pomoc memu drogiemu przyjacielowi! Wszyscy na statek i... ups!

No! Jaki statek?

Zostaliśmy na nogach, wujku!

Bez obaw! Moje wierne tygryski są zręcznymi cieślami! Poproszę je o pomoc!

Moje niepokonane tygrysiaki! Czas leniuchowania się skończył! Czeka nas legendarna przygoda!

Co za tupet! Nie płaci nam od dwóch lat i przyłazi tu gadać o robocie!

PFRRRRR!

Jej! Niezbyt uprzejma odpowiedź! Nie moglibyśmy porozmawiać o tym spokojnie?

DZYŃ

Nieee! Najpierw zapłać, potem pogadamy! Strajk generalny!

Co za wstyd! Nie będę mógł pomóc mojemu przyjacielowi Tremal-Naikowi!

Może nie wszystko stracone!

Tam jest nasza łódka na ryby!

Możemy zaryzykować przeprawę!

Zaryzykujmy! Legendarna przygoda, co? Ech!

I tak...

Mam dziwne wrażenie, że cały ocean się z nas nabija!

Odwagi, moi dzielni kompani! Nic nie powstrzyma tygrysa z Malezji!

Nie mogę się doczekać, jak skrzyżuję szablę z Suyodhaną, szefem Braci Thug!

Zmęczyło nas wiosłowanie, wujku!

No to odpocznijmy tutaj, w świetle księżyca! O świcie znów wyruszymy!

433

434

A ja ucieknę! Nikt i nic nie powstrzyma mnie przed ukończeniem mojej wyprawy przeciw Braciom Thug!

Bracia, co?

Dlaczego nie mówiłeś od razu, wolno myślący piracie? Bracia Thug to także moi nieprzyjaciele!

Hę? Naprawdę?

Jak wszyscy wiedzą, jestem nie tylko guber-natorem, ale również wielkim dobroczyńcą!

No co ty?!

Inwestując czas i pieniądze, zmieniłem posępną, czarną dżunglę w pierwszy park naturalny na świecie!

Teraz pyszni się tam bujna roślinność, a zwierzęta żyją w spokoju, chronione przed kłusownikami i niszczycielami!

Jednym słowem, stworzyłem prawdziwy raj!

A co mają z tym wszystkim wspólnego Bracia Thug?

435

Park odwiedzają tysiące turystów zwabionych egzotycznym urokiem tej krainy! Dlatego zainstalowałem na miejscu wiele udogodnień!

Wszystko byłoby dobrze, gdyby po dżungli nie kręcili się, jak nieuchwytne upiory, Bracia Thug, którzy porywają zwiedzających...

STUK

...i nielegalnie otwierają moje urządzenia, żeby kraść dochody! Prawdziwy koszmar! Jeśli więc tobie uda się ich złapać...

...oczyszczę cię z wszystkich występków i będziesz wolny!

Interes stoi, guwernatorze! Pójdę, zwyciężę i wrócę!

Hm... moglibyśmy dostać też... ple, ple... ple, ple...

Zgoda! Słowo lorda Skneronka!

Naprzód! Spieszno mi zmierzyć się z Suyodhaną!

Oto delta Gangesu z jej niebezpiecznymi mokradłami!

Gdzie spotkamy Tremal-Naika?

Czeka na nas ukryty w ruinach dawnej pagody, w sercu czarnej dżungli!

Nie możecie nas ograbić! Jesteśmy turystami i...

A my jesteśmy Bracia Thug, taka turystyczna atrakcja!

Hej! To Sandonald! Rozpoznaję go!

Na pewno nie przybył tu zwiedzać!

Biegnijmy uprzedzić Suyodhanę!

Naprzód i cisza! Lepiej, żeby Bracia Thug nie dowiedzieli się o naszym przybyciu!

Phi! Ja się nie boję nikogo!

440

Tak... w nowoczesnej wersji lorda Skneronka!

OWOC ZBOŻA
Z DODATKIEM WITAMIN

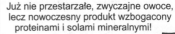

Już nie przestarzałe, zwyczajne owoce, lecz nowoczesny produkt wzbogacony proteinami i solami mineralnymi!

20 RUPII

Dość! Stanowczo odmawiam wyrzucania moich ostatnich rupii na te pułapki dla turystów!

Ale wujku!

Buuuu! Jesteśmy głodni, a wujek odmawia nam nawet chleba!

Cisza! Błagam, pomyślcie o Braciach Thug!

Zrozumiałem! Mam dać się okraść!

Macie, mali okrutnicy!

Dzięki, wujku! Jesteś bardzo hojny!

442

Chłopaki, coś mi się zdaje, że to będą super--wakacje!

Mali szantażyści!

Wreszcie dotarliśmy na miejsce spotkania!

Hej! Jestem tutaj!

Spotkanie z Tremal--Naikiem

Dziękuję, że przybyłeś, mój przyjacielu! Czekałem na ciebie z niecierpliwością!

Jak bym mógł nie odpowiedzieć na twój apel!

Moja biedna Ada jest w rękach tych łotrów! Zrobią z niej niewolnicę bogini Rali! Buuu!

Nie obawiaj się, przyjacielu! Sandonald jest tutaj, aby unicestwić Suyodhanę!

Boję się, że to nie będzie takie łatwe!

Och! Zapomniałem ci przedstawić Darmy, mojej grzecznej domowej kotki!

Miau!

Jaka słodka!

Miau! Mrrr... mrrr... mrrr...

Hej! Mruczy, zamiast ryczeć!

No tak! Wychowała się w domu z moją starą kocicą!

Zaprzyjaźniliśmy się!

Czekając, śledziłem ruchy Braci Thug i wiem, gdzie jest ich kryjówka – w leśnej pagodzie!

Chodźmy! Pokażę wam drogę!

My idziemy z Darmą! Wywęszyła coś tutaj!

445

Park czarnej dżungli przynosi nam ogromne zarobki! Nie możemy pozwolić, żeby ten zuchwalec nam przeszkodził!

Za te pieniądze będziemy mogli zbudować nową świątynię dla bogini Rali!

Idźcie i przynieście mi Sandonalda! Pióra mu z kupra powyrywam!

Tak zrobimy, panie!

Tymczasem niedaleko...

Patrzcie! Darma kieruje się w stronę tej figi od pagody!

446

447

Brawo, Darma!

Kto cię uczył sztuk walki?

Zwiążmy ich i ukryjmy w jakichś zaroślach!

Cieszysz się, że nas uratowałaś, co?

Mrrr... mrrr...

Zobaczmy, co kryje ta tajemnicza roślina!

Ciekawe, co jest w głębi tego korytarza! Widzę światło!

Odwagi, chodźmy zobaczyć!

Chłopaki! Odkryliśmy norę Braci Thug!

448

BOGINI RALI

BAR RESTAURACJA

DYSKOTEKA

W międzyczasie Sandonald i wspólnicy docierają do pagody...

Hm... jak na norę Braci Thug ma dziwny wygląd!

Właśnie! Po co te wszystkie światła i napisy?

Możemy zrobić tylko jedno! Pójść zobaczyć!

Ostrożnie, Sandonald!

AGH!

449

451

452

453

454

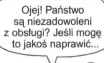

Jestem dyrektorem! Czy państwo życzą sobie stolik?

Hultaju! Jesteś jednym z Braci Thug! Poznaję cię!

Ojej! Państwo są niezadowoleni z obsługi? Jeśli mogę to jakoś naprawić...

Tylko posłuchajcie tego niewiniątka!

Jedyna rzecz, jaką możesz zrobić, to uwolnić obecną tutaj młodą damę, którą porwaliście!

Och! Cóż za bolesne oszczerstwa! To prawda, byliśmy Braćmi Thug, ale teraz jesteśmy grupą opozycyjną i pracujemy uczciwie w naszym klubie!

Jak widzicie, w lokalu gromadzi się śmietanka towarzyska Kalkuty i okolic!

Kłamiesz! Porwałeś moją narzeczoną, aby zrobić z niej rytualną tancerkę bogini Rali!

Co też znowu, panie! To kłamstwo!

456

457

458

459

460

461

462

463

GHH!

?

Aj! Pomocy! Litości! Poddaję się!

Hura! Wujek wygrał!

Niech żyje!

Nieźle! Jestem rzeczywiście straszliwy!

No i co, zakazane gęby?

Nie liczy się! Chlip! Chcemy mieć dogrywkę!

Widzieliście, chłopcy! To była bułka z masłem!

Brawo!

Niech żyje Sandonald!

Miałem go w garści od początku! Po prostu trochę to przeciągnąłem, żeby spotkanie było ciekawsze!

Oto, co się naprawdę stało! Żeby uwolnić się od tych kłów, Suyodhana musiał pobiec do dentysty w Kalkucie...

My też uratowaliśmy honor! Pojmaliśmy Braci Thug!

Brakuje tylko dyrektora lokalu!

Gratulacje! Jesteście siostrzeńcami godnymi tak wielkiego wujka!

Dzięki Darmie odkryliśmy tajne wejście do nory, w której Bracia Thug...

...chowali łupy! Bar dyskoteka był tylko przykrywką!

465

Dobrze! Wszystko się wyjaśniło, ale jak ja przeżyję bez mojej Ady? Ech!

Głowa do góry, Tremal-Naiku!

Jestem tu, Tremal-Naiku! Yanez mnie uwolnił! Bracia Thug zagrozili, że cię zabiją, gdybym zaczęła mówić! Musiałam udawać, by cię ocalić!

Ada!

Jestem potworem! Aż sam się siebie boję!

Moja ukochana! Odtąd będziesz śpiewać tylko dla mnie!

Szczerze mówiąc, miałam ochotę spróbować sił w teatrze Kalkuty! Co ty na to?

Ruszaj!

Szukając chłopców, minąłem figę z pagody i usłyszałem głos!

Nie chcę wracać do tamtej celi! Zostawcie mnie! Pomocy!

To głos Ady!

470

472

WUJEK SKNERUS

Procent in loco

I/T 816 A

Z powodu odnowy kolekcji klejnotów Maharadża wyprzedaje tony cennych kamieni różnego gatunku. Dzwonić pod numer 647 647 647 JAKSAMCHCESZ (INDIE)

Zabiorę pani tylko mały pasek gazety. Interesuje mnie ten numer telefonu

WYRW

Cała gazeta kosztuje... sama pani rozumie, prawdą?

Rozumiem, rozumiem!

Biedny staruszek! Pewnie dojrzał w „Tanich ogłoszeniach" jakąś odpowiednią dla siebie propozycję pracy! Teraz tam pobiegnie z nadzieją, że go przyjmą, i trochę sobie dorobi do swojej mizernej emerytury!

ZIUUM

Che, che! Wspaniała, fantastyczna, jedyna taka okazja! Genialny interes, którego nie można przegapić!

Halo, halo... Czy to pałac w Jaksam-chcesz?

KTO PIERWSZY PRZYCHODZI, SAM SOBIE SZKODZI

$

474

475

Właśnie, proszę pana! Rozmawia pan z pierwszym sekretarzem jego Najcenniejszej Wysokości Bambada Bambalora...

Mówi Kwakerfeller, magnat Kaczogrodu! Zawieście wszelkie negocjacje z kimkolwiek na temat partii klejnotów! Wyjeżdżam i zaraz będę!

Niejaki Sknerus McKwacz oraz niejaki Kwakerfeller zapowiedzieli swe przybycie! Obaj polecają Waszej Najcenniejszej Wysokości zawieszenie negocjacji z kimkolwiek!

Kim Kolwiek? Tą dziewczynką z kreskówki?

Grrr! Ten drań Kwakerfeller! Założę się, że on też wyjeżdża do Jaksamchcesz!

Grrr! Ta zawada Sknerus McKwacz! Zjem swój kapelusz, jeśli nie szykuje się do odlotu do Jaksamchcesz!

Później na lotnisku...

Nie mogę pozwolić, żeby ten fanfaron Sknerus wylądował przede mną!

Nie mogę pozwolić, żeby ten łachudra Kwakerfeller wylądował przede mną!

Wiele godzin później, na niebie Jaksamchcesz...

Zmuszę starego kaczora, żeby nabrał znowu wysokości!

Zmuszę tego bezczelnego intryganta, żeby zszedł mi z drogi!

I tak...

PATATRRRACH

OOOCH!

Komendant straży zadecyduje, kto ma przejść pierwszy!

Nie! Ja sam zdecyduję!

Sio... posuń się, strażniku!

Rety!

Zamach! Zamach! Zatrzymajcie tych dwóch! Złapcie ich!

Po chwili w sali tronowej...

Najpierw ja! Jestem Sknerus McKwacz!

Nie, najpierw ja! Nazywam się Kwakerfeller!

Oczekiwałem was, panowie!

487

Ta skrzynia, szczodrobliwie dostarczona przez jego Najcenniejszą Wysokość, zawiera tonę klejnotów! Sami zajmijcie się ich podziałem! Jego Najcenniejsza Wysokość nie zamierza oddać wam do dyspozycji żadnego samolotu!

Dusigrosz!

Jego Najcenniejsza Wysokość użycza wam samochodu i dwóch uzbrojonych żołnierzy, aby dotrzeć na lotnisko!

Grrr! Lepsze to niż nic!

Zadzwonię do mojego siostrzeńca, żeby po nas przyjechał! Ty, Kwakerfeller, zapłacisz mi dziesięć dolców od klejnotu za transport do Kaczogrodu!

Hm... zastanówmy się...

Moich klejnotów jest pięćdziesiąt tysięcy... pięćdziesiąt tysięcy razy dziesięć... pół miliona dolarów... tak... opłaca mi się...

Czyli zgoda!

Halo, Donald? Halo?

DRYYYŃ

To on, wujek!

Kategoryczny, bezdyskusyjny i nie do odrzucenia rozkaz... pod karą najcięższych sankcji! Czekam na ciebie w Jaksamchcesz, masz przylecieć najlepszym z moich samolotów!

Gdzie na mnie czekasz?

W Jaksamchcesz! Bez odbioru!

Jak można być takim tępym? Pytam, gdzie mam po niego pojechać, a on mi mówi: „Jak sam chcesz"!

Jaksamchcesz to nie głupota, wujku Donaldzie!

491

Lepiej, żebym ci powiedział od razu – ta skrzynia jest pełna diamentów, rubinów, szafirów, szmaragdów, topazów, turkusów itd.

Kurka!

Połowa klejnotów jest moja, a połowa tego karalucha!

Grrr...

Skrzynia nie zmieści się do samolotu! No już! Pomóż karaluchowi przenieść zawartość...

Jeszcze nie oszalałem!

Nie przemierzyłem oceanu i nie pokonałem burz, żeby tyrać jak jakiś tragarz!

Uch!

Jeśli mam załadować klejnoty twoje i Kwakerfellera, mam zamiar pobrać stosowny procent!

Nie toleruję szantażu!

Do roboty, Kwakerfeller! My dokonamy załadunku! Donald zostanie na ziemi! Już Maharadża zajmie się jego deportacją!

Chwileczkę!

Pilotem komendantem statku powietrznego, który dopiero co wylądował, jestem ja! Międzynarodowy kodeks lotniczy mówi wyraźnie! Beze mnie, lub bez mojej autoryzacji, statek powietrzny nie może odlecieć!

Aha... więc tak?

Nikczemny siostrzeńcze wykorzystywaczu! No już, gadaj! Jakiego procentu żądasz?

Hmm...

Decyduj się!

Powiedzmy, że jednego procenta!

Dostaniesz jeden raz kijem po dziobie na każde sto piór, które cię przykrywają!

Stój, Sknerusie!

495

496

Tymczasem...

Hej, bracia! Widzieliście na samochodzie ogromną skrzynię?

Mniam! Na pewno kryje wyjątkowy skarb!

Nasz samolot jest wyposażony na wszelkie okazje! Che, che! Mamy na pokładzie ciągnik i potężną stalową linę!

Jazda, załóżcie hak na końcu liny!

SZT

Zanurkuj, 015! Zrób tak, żebyś przeleciał nad ciężarówką!

Okej, 016!

Gotowi? Wyrzucić linę!

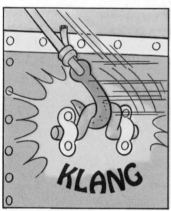

499

501

Dobrze, wyśmienicie! Przy całym tym obciążeniu piracki samolot musi latać bardzo nisko i wolno!

Wujek Sknerus i Kwakerfeller tylko się trochę potłuką, uderzając o ziemię!

Mogę otworzyć ogień bez skrupułów!

TA TA TA TA TA

Hura! Trafiłem w dziesiątkę!

Bracia, samolot znowu nabiera wysokości!

Bez kitu! Lina się przerwała!

Che, che! Mój procent jest ocalony!

504

Rety! Bitwa przegrana! Wrócę za tydzień pomóc uoiokinicrom!

Stop! Wstrzymajcie ogień!

A teraz weźcie się do zbierania klejnotów! Biada ci, siostrzeńcze, jeśli choć jednego zabraknie przy liczeniu!

Chlip!

Wiele, wiele, wiele godzin później...

Przeczesałem po dwieście sześćdziesiąty czwarty raz okolicę! Grzebałem w każdym krzaku, zajrzałem pod wszystkie skały, patrzyłem na dno rozpadlin... Myślę, że już tu nie ma więcej szlachetnych kamieni!

Liczymy!

Wiele,
wiele czasu
później...

Ile klejnotów
włożyliśmy do samolotu,
Kwakerfeller?

Dziewięćdziesiąt dziewięć tysięcy
dziewięćset dziewięćdziesiąt! A było
sto tysięcy! Brakuje dokładnie
dziesięciu!

Dziesięciu?... Proszę,
proszę!

Według międzynarodowego kodeksu lotniczego
aż do naszego powrotu do Kaczogrodu ty
dowodzisz moją maszyną! Prawda,
Donaldzie?

Owszem!

A gdyby, zgodnie z umową, należący
ci się procent od zakupionych klejnotów
został wypłacony natychmiast, in loco,
oddałbyś mi dowodzenie?

Dlaczego nie? Im mniej
odpowiedzialności, tym
lepiej!

Dawaj płetwę!
Słowo kaczora?

Słowo
kaczora!

Z pamiętnika Donalda